SAGUENAY–LAC-SAINT-JEAN

Un royaume au Québec

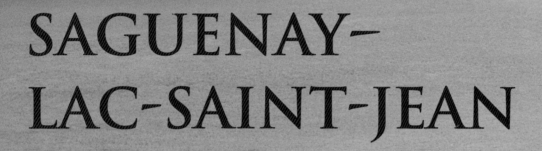

SAGUENAY– LAC-SAINT-JEAN

Un royaume au Québec

PHOTOGRAPHIES Alain Dumas

TEXTE Yves Ouellet

Données de catalogage avant publication (Canada)
Dumas, Alain, 1957-
    Saguenay–Lac-Saint-Jean : un royaume au Québec
    Comprend des réf. bibliogr.
    ISBN 2-89249-763-9
    1. Saguenay–Lac-Saint-Jean (Québec : Région) - Ouvrages illustrés.
    2. Saguenay–Lac-Saint-Jean (Québec : Région) - Descriptions et voyages.
    I. Ouellet, Yves, 1954-   II. Titre.

FC2945.C45D85 1997   917.14'49044'0222   C97-940513-0
F1054.C445D85 1997

Conception graphique et mise en pages : Joane Bilodeau, IMAGO concept

Révision linguistique : Liliane Michaud

© Éditions du Trécarré 1999

ISBN 2-89249-829-5

Dépôt légal 1999
Bibliothèque nationale du Québec

Imprimé au Canada

Éditions du Trécarré
Saint-Laurent (Québec) Canada

La région du Saguenay-Lac-Saint-Jean constitue une destination touristique fabuleuse qui réunit une foule d'attraits extraordinaires ainsi que des services diversifiés pour toutes les clientèles. L'Association touristique régionale du Saguenay-Lac-Saint-Jean vous fournit gracieusement toute l'information pour préparer votre prochain séjour dans cette région de rêve.

 Association touristique régionale du Saguenay–Lac-Saint-Jean
198, rue Racine Est, bureau 210
Chicoutimi (Qc) Canada G7H 1R9
Téléphone : (418) 543-9778
Sans frais en Amérique du Nord : 1 800 463-9651
Télécopieur : (418) 543-1805
Internet : http://www.atrsaglac.d4m.com
Courrier électronique : atrsaglac@d4m.com

Page couverture : Grande photo : la rivière Mistassibi ; petites photos de haut en bas : le fjord du Saguenay (tableau), Chicoutimi, le lac Saint-Jean

Pages précédentes : le fjord du Saguenay

SOMMAIRE

7   INTRODUCTION

13   LA VRAIE NATURE DES BLEUETS
14   Le déterminisme historique
16   Les «Bleuets»
20   Une culture vivante
23   Albert Larouche et Hélène Beck
24   L'élément indissociable

27   UN ROYAUME BÂTI SUR L'EAU
28   La fuite des horizons
32   Il y a 180 millions d'années
36   La domestication des eaux
38   L'eau du moulin

41   LES GRANDS CHEMINS D'EAU
42   Toute cette eau!
46   Ashuapmushuan
47   Réserve faunique Ashuapmushuan
48   Mistassibi, Mistassini
50   La Péribonca
51   Renald Carrier
52   Le lac Kénogami
54   La rivière aux Sables et la rivière
        Chicoutimi
58   La rivière à Mars
59   Jean-Jules Soucy
60   La rivière Sainte-Marguerite
62   Quatuor à saumon
63   Émile « Petit » Savard

65   LE LAC SAINT-JEAN
66   Piekouagami
69   La ouananiche, reine du lac
70   Le découvreur
72   Un lac et un réservoir
74   Partiront...?
76   Les influences climatiques
78   Les milieux humides
80   Les îles du lac
82   L'incontournable bleuet...
84   Mashteuiatsh
87   Georges Bégin

89   LE SAGUENAY
90   À la fois rivière et fjord
94   Une profondeur vertigineuse
95   Saguenay
96   Un territoire changeant
100   L'ouverture du Saguenay
102   La vie dans le fjord
103   L'enclave arctique
104   Trinité et Éternité
105   Normand Fréchette
106   Navigation, transport

109   DES ENCLAVES SAUVEGARDÉES
110   Le Parc du Saguenay
113   Ses îles
114   Le Parc marin du Saguenay–Saint-Laurent
117   Les baleines
118   Le Parc des Monts-Valin
122   Le Parc de la Pointe-Taillon
125   La Véloroute des Bleuets

127   L'ÈRE DES VOYAGEURS
128   L'apparition du tourisme
129   Gérald Bélanger
130   Le musée Louis-Hémon
132   Le zoo sauvage
135   Gyslain Gagnon
136   La vieille fromagerie Perron
137   Albert Perron
138   Le berceau du tourisme
140   L'Ermitage Saint-Antoine
142   Le village fantôme
146   La pulperie
148   Le site de la Nouvelle-France
150   Un village et son roi
152   La muse
154   La rencontre des eaux

157   REMERCIEMENTS

159   BIBLIOGRAPHIE

INTRODUCTION

Après avoir consacré des années au fjord du Saguenay, à la Côte-Nord et à Anticosti puis au pays de Charlevoix, nous revenons, grâce à cet ouvrage, finalement chez nous, au Saguenay–Lac-Saint-Jean.

Il nous fait découvrir, en même temps que redécouvrir, le royaume de la fierté et de la démesure, d'une perspective qui ne nous est pas familière puisque nous en sommes partie intégrante. Certes, nous avions déjà arpenté avec minutie les corridors du fjord et son univers très spécifique, ouvrant ainsi la principale voie d'accès au royaume. Cette fois, nous avons élargi notre optique à pleine amplitude pour y englober la totalité d'un territoire immense qui fut très long-temps Domaine du Roi, donc réservé à la jouissance exclusive des rois de France et d'Angleterre ainsi qu'aux grandes puissances commerciales et industrielles.

Le lac Saint-Jean et le fjord du Saguenay, deux sources d'inspiration intarissables par leurs contrastes et leur mystère.

Le Royaume de la fierté et
de la démesure.
Lac Ha ! Ha !

Aujourd'hui, les souverains ont changé, mais la région est toujours affermée aux puissants empires économiques, leur livrant ses ressources et son énergie, subissant depuis longtemps des outrages irréversibles au nom du développement. Cependant, à la différence d'autrefois, le Saguenay–Lac-Saint-Jean a maintenant une âme et un cœur, qui vivent et qui palpitent, dans l'esprit et dans les veines de ceux qui l'habitent : les Bleuets.

Sur les traces des Ilnu, qui se sont eux aussi fixés sur cette terre après l'avoir parcourue en nomades durant des millénaires, nous avons essentiellement suivi les routes d'eau qui, saison après saison, les ont conduits de la ligne de partage des eaux jusqu'au fleuve et à la mer. L'incroyable bassin hydrographique du Saguenay–Lac-Saint-Jean est demeuré notre fil conducteur et notre courant d'inspiration premier tout au long des jours, des excursions, des voyages, des expéditions, des tournées, des repérages et des recherches.

Une âme et un cœur qui
palpitent dans l'esprit et
dans les veines de ceux qui
l'habitent.

De la source des grandes
rivières jusqu'à la rencontre
des eaux salées.
Montagne Blanche, L'Anse-
Saint-Jean

Nous sommes partis de la source des grandes rivières pour descendre jusqu'à la mer intérieure du Piekouagami que nous avons circonscrit avant de reprendre le courant, à la rencontre de l'eau salée, en empruntant la route des fourrures qui passe par la multitude de baies du lac Kénogami, ou en sillonnant la rivière Saguenay et ses affluents.

Évidemment, nous avons fait des rencontres extraordinaires, souvent bouleversantes, toujours excitantes. Des rencontres qui ont contribué à mieux nous faire assimiler notre histoire, notre environnement et notre culture.

Selon notre habitude, nous avons littéralement « occupé » le territoire. À bord de nos maisons sur roues ou sous la tente, nous n'avons pas fait que passer. Nous sommes restés là où il fallait, le temps qu'il fallait, pour recueillir les lumières et les impressions des paysages comme des êtres. En kayak de mer, à pied, à vélo, en canot, en avion, en bateau... de toutes les façons possibles et en compagnie de tous ceux et celles qui ont généreusement accepté de nous guider dans cette démarche, nous avons capturé les ambiances et saisi les mots jusqu'à ce que nous ayons le sentiment de commencer à comprendre.

Chaque Bleuet se sent
investi d'une mission...

À comprendre qu'il serait aussi pré-tentieux qu'irréaliste de prétendre démystifier cet univers complexe aux ramifications infinies. Toutefois, rien ne nous empêche de vouloir donner de notre amour à cette région et à ses gens que nous portons ancrés au plus profond de nous-mêmes. Chaque Bleuet se sent l'héritier d'une profonde tradition. Chaque Bleuet se sent investi d'une sorte de mission qui consiste à révéler son pays au reste du monde. Comme les autres, nous nous livrons à cette tâche qui, condition ultime, doit absolument s'épanouir dans la joie et le plaisir.

... qui consiste à révéler son pays
au reste du monde.

LA VRAIE NATURE DES BLEUETS

[...] comme un pays, dans le sens le plus pur du terme ; un pays marqué d'originalité et

caractérisé par une manière de vivre qui se distingue positivement de celle de la province et,

de manière encore plus significative, de celle du Canada. En fait, il s'agit plus

précisément d'une culture imprégnée d'un certain mysticisme qui s'apparente étrangement

à celui des bâtisseurs des grandes cathédrales d'Europe ; d'une culture qui s'est formée

dans les contraintes épouvantables d'une géographie capricieuse, hostile et, à maints

égards, inhumaine ; d'une culture qui s'est définie sur la base d'une histoire

à la fois singulière et puissante.

Russel Bouchard

LE DÉTERMINISME HISTORIQUE

L'histoire en marche

Le Saguenay–Lac-Saint-Jean a hérité d'une histoire peu banale dont les pages pleines de conquérants, d'aventuriers et de bâtisseurs demeurent encore bien vivantes à l'esprit des enfants autant que des aînés. Des noms comme Maria Chapdelaine, l'héroïne de Louis Hémon ; Victor Delamarre, l'homme fort de Saint-François-de-Sale, et son frère Elzéar, fondateur de l'ermitage Saint-Antoine-de-Padoue ; les sportifs Johnny Gagnon, Georges Vézina, Jean-Claude Tremblay, Mario Tremblay ; le coureur légendaire Alexis le Trotteur ; Rodolphe Pagé, le pionnier de l'aviation ; le peintre visionnaire Arthur Villeneuve, l'industriel éblouissant Julien-Édouard-Alfred Dubuc ; les tyrans William Price et Peter McLeod ; les politiciens remarquables Honoré Petit ou Antonio Talbot, Arthur Tremblay, Jean-Noël Tremblay ; Marguerite Belley, la meneuse d'hommes ; les développeurs comme le curé Hébert ou le père Honorat, John Murdock, Jean-Marie Couët ; les immigrants scandinaves qui ont ajouté les noms d'Ellefsen, de Rasmussen ou de Dahl aux Tremblay, Bouchard et Simard : des légions de personnalités ont forgé le caractère d'une population qui se voit comme un peuple.

« Découvert en même temps que le Canada, le Saguenay a été pendant trois siècles un pays à part, où seuls le commerce des fourrures et l'apostolat des missionnaires ont modifié l'allure de la vie indienne. »

Mgr Victor Tremblay,
Histoire du Saguenay

P. 12 :
Rivière Mistassibi, la source des eaux.

Alors que les Patriotes s'insurgent, en 1837–1838, William Price, un commerçant de bois d'origine britannique, voit l'occasion extraordinaire de faire main basse sur une grande part du Domaine du Roi en se servant d'émissaires qui ne demandent pas mieux que de fuir les terres de Charlevoix ou de la Côte-Sud où ils vivent de plus en plus à l'étroit. Il finance alors la Société des entrepreneurs des pinières du Saguenay (La Société des Vingt-et-Un), avec Alexis « Picoté » Tremblay et Thomas Simard à sa tête, qui prennent d'assaut pour lui les rives du fjord jusqu'à La Baie. Grâce à la complicité de Peter McLeod, fils d'une Montagnaise qui, à ce titre, échappe au monopole de la Compagnie de la baie d'Hudson, il n'a plus qu'à attendre les premières contrariétés financières des associés, qui ne tardent pas, pour s'accaparer de l'industrie forestière naissante et la transformer en mine d'or.

Les bûcherons deviennent aussi agriculteurs, ouvriers, commerçants, et se répandent, dans un mouvement de colonisation spontanée, de part en part du couloir du Saguenay et de la cuvette du lac Saint-Jean.

La Maison Price, Jonquière.
La marque d'une dynastie qui a joué un rôle déterminant dans la région.

LES « BLEUETS »

Outre un sentiment de fierté exacerbé, les Bleuets ont hérité d'une spontanéité surprenante.

Nous habitons une île : le Saguenay–Lac-Saint-Jean. Une drôle d'île, on doit en convenir. Une étendue d'eau entourée de terre et de montagnes, au beau milieu d'un océan d'épinettes. Un pays dans le pays, qui a tous les attributs de l'insularité.

On les qualifie affectueusement de « Bleuets », ces hommes et ces femmes qui ont le verbe haut et le geste généreux. Voilà déjà un premier trait distinctif puisque cette identification à un produit de la terre est plus qu'inhabituelle. Certes, ce surnom délicieux provient de l'omniprésence du bleuet (la myrtille) en sol jeannois et saguenéen. On dit qu'il remonte à l'époque où les défricheurs du Lac-Saint-Jean venaient vendre la manne bleue aux citadins du Saguenay pour se faire un revenu d'appoint. Aujourd'hui, l'expression souligne le fait que, au Québec, les Bleuets se démarquent nettement par leur authenticité, leur créativité, leur spontanéité surprenante, leur phrasé musical, leur joie de vivre, leur fierté exacerbée, leur soif de liberté et leur attachement viscéral à cette région. Tout simplement... par leur façon d'être.

De nombreux auteurs, journalistes, historiens, sociologues et autres, ont abordé la question de l'identité régionale en superficie ou en profondeur. Pour certains, cette distinction est illusoire, prétentieuse et menaçante. Pour d'autres, elle représente le fondement d'une culture régionale authentique. Dans ce démêlé, l'historien et polémiste Russel Bouchard pose un regard incisif en clamant que les Bleuets perçoivent leur

région « [...] comme un pays, dans le sens le plus pur du terme ; un pays marqué d'originalité et caractérisé par une manière de vivre qui se distingue positivement de celle de la province et, de manière encore plus significative, de celle du Canada. En fait, il s'agit plus précisément d'une culture imprégnée d'un certain mysticisme qui s'apparente étrangement à celui des bâtisseurs des grandes cathédrales d'Europe ; d'une culture qui s'est formée dans les contraintes épouvantables d'une géographie capricieuse, hostile et, à maints égards, inhumaine ; d'une culture qui s'est définie sur la base d'une histoire à la fois singulière et puissante. »

Les Bleuets affichent une différence qui les démarque principalement du reste du Québec, comme le Québec affirme constituer une société distincte en Amérique du Nord. Cette prétention s'exerce sans arrogance, mais avec beaucoup d'insistance. Une de ses manifestations réside peut-être dans le fort sentiment autonomiste exprimé de longue date et partout connu. Depuis que le Saguenay–Lac-Saint-Jean a pris conscience de sa spécificité sociologique, politique, administrative ou culturelle, le débat sur cette question ne cesse d'être alimenté par un déluge d'argumentations et de déclarations qui semble sans fin. Les Bleuets sont-ils vraiment aussi singuliers qu'ils le disent ? Ils ont leur territoire bien délimité, leur histoire, leurs héros et un sentiment d'appartenance viscéral. La région a même été la première à posséder un drapeau, en 1938, dix ans avant que le Québec n'adopte le sien. Que faut-il d'autre pour avoir sa propre personnalité collective ?

Il semble bien que personne ne puisse fonder l'hypothèse d'une identité régionale spécifique sur des assises scientifiques solides, bien que des études poussées aient été menées sur la population du Saguenay–Lac-Saint-Jean. On a scruté sa généalogie, sa génétique et sa composition sociale, que certains croient exceptionnellement homogène. S'insurgeant contre ce préjugé qu'il qualifie de « mythe du père Chapdelaine », le chercheur Gérard Bouchard affirme que : « Nous savons maintenant que la réalité est tout autre [...] la colonisation a provoqué beaucoup de mouvements migratoires et d'instabilité. » On a même étudié ses habitudes de consommation puisque c'est sur le marché régional que l'on expérimente plusieurs nouveaux produits et services. Pourtant, l'idée que les Jeannois et les Saguenéens soient quelque peu particuliers demeure très répandue et relativement bien partagée par l'ensemble des Québécois. Elle est défendue par des propos souvent subjectifs et partisans, parfois farfelus, mais elle repose quand même sur des constats évidents qui ont contribué à forger une société régionale authentique.

La rivière du Moulin, Laterrière.
La relation entre la nature et les « Bleuets » semble vitale.

« Le Saguenay–Lac-Saint-Jean ne ressemble à aucune autre région québécoise. »
Gilles Boileau

« Voilà simplement un autre Bleuet prêt à tout pour prouver qu'il vit dans une région originale. Comme cet autre qui s'est fait élire roi de L'Anse-Saint-Jean », écrit le journaliste Luc Chartrand, de *L'actualité* au sujet du biologiste Claude Villeneuve et de son initiative, reconnue par l'UNESCO, de déclarer son coin de pays « région laboratoire du développement durable ». Une idée « parfaitement adaptée au narcissisme légendaire de la région ».

Facteur premier de différenciation, l'isolement est d'abord une conséquence de la situation géographique de la région, comme l'exprime le géographe Gilles Boileau : « Le Saguenay–Lac-Saint-Jean ne ressemble à aucune autre région québécoise. C'est un coin de terre bien individualisé que la géographie a marqué profondément en l'isolant de la vallée du Saint-Laurent et en le coupant du Québec méridional par des reliefs vigoureux et une puissante forêt. »

Pour l'auteur et journaliste Jean O'Neil : « Toute la région du Saguenay–Lac-Saint-Jean est un pays géologiquement effondré, un delta coincé, une population longtemps retardée socialement, économiquement, parce qu'assujettie à une variété de monopoles, et politiquement demeurée, au dire de ceux qui ne nous aiment pas quand nous sortons de chez nous, tout fringants, capables de réinventer la roue les bras en l'air, en éclaboussant les autres d'un enthousiasme triomphant et d'un surcroît d'énergie, accumulé dans nos territoires occupés par autre chose que les grands courants de la pensée. À cette exubérance intempestive, on a donné le nom de *blueberry power*, l'énergie du bleuet, ou l'énergie bleuetique, pourquoi pas ? »

Plusieurs traits culturels se sont développés à cause du retranchement et des particularités géographiques de la région. D'origine haïtienne, le poète Maurice Cadet s'est assimilé à cette culture populaire comme tous ceux qui adoptent la région. « À l'heure qu'il est, je parie sur le jour et l'heure de la fonte des glaces sur le lac. Et j'entremêle mon verbe à l'imaginaire collectif. » La langue parlée ici, héritage charlevoisien en bonne part, a conservé certains accents et le vocabulaire du français d'autrefois. Le débit, le ton, l'emphase de l'expression, entre autres, font que l'on reconnaît à peu près partout le parler régional.

Dans cette société qui a vécu en autarcie, on voue un véritable culte à l'histoire, comme l'a souligné l'historien Marcel Trudel : « Quelle autre région du Québec peut se vanter de compter à son service immédiat autant d'historiens [...] ? »

Le Saguenay–Lac-Saint-Jean est également à la source de certains phénomènes sociaux marquants au Québec, dont la naissance du syndicalisme ouvrier. Formée par les travailleurs de la Compagnie de pulpe de Chicoutimi, la Fédération ouvrière de Chicoutimi (FOC) devient, en 1907, le premier syndicat au Québec. Il intègre la Confédération des travailleurs catholiques du Canada (CTCC) qui deviendra, en 1960, la Confédération des syndicats nationaux (CSN).

Quant au caractère des Bleuets, modelé à la mesure du fjord, du lac et de la forêt sans bornes, il est probablement ce que le public retient le plus d'eux et ce qui ressort essentiellement dans les médias lorsque des personnages du Saguenay–Lac-Saint-Jean apparaissent dans des téléromans ou quand des Bleuets accèdent au vedettariat. Cette exubérance sans modestie dont parlait Jean O'Neil est des plus typiques. Une légère tendance à l'exagération, non pas pour mentir mais pour embellir la morne réalité. Un besoin irrésistible de s'afficher publique-

ment en tant que Bleuet lorsque l'on vit et travaille hors de la région. Une susceptibilité à fleur de peau quand des critiques sur la région sont émises.

Les Bleuets « à l'étranger » se regroupent aussi en association afin de mieux exercer le « blueberry power » en confrérie.

Au fond, un mot traduit favorablement toutes ces bribes de personnalité, c'est « fierté » !

Ensemble autour d'un dénominateur commun : le Saguenay–Lac-Saint-Jean.

UNE CULTURE VIVANTE

Bastion de la culture française en Amérique

La culture n'est pas un vain mot au Saguenay–Lac-Saint-Jean. On en veut pour preuve le nombre étonnant d'artistes, parmi les plus populaires du Québec, qui sont issus de la région.

Dans ce bastion de la culture française en Amérique du Nord, l'expression multiple du monde de la musique, de la chanson, du théâtre, de la danse, de la littérature et des arts visuels est partout présente. Et la culture est tout le contraire d'un concept élitiste pour les Saguenéens et les Jeannois. Elle est à la conscience de cette population comme l'affirmation de sa vitalité, comme la force de sa présence en terre d'Amérique.

Le Carnaval Souvenir de
Chicoutimi, la fête au
milieu de l'hiver.

Suzanne Tremblay, de
Chicoutimi, céramiste et
sculpteure.

Ainsi, par centaines, hommes, femmes et enfants montent sur la scène et brûlent les planches en dansant, en chantant et en jouant. C'est le cas de la fresque historique *La Fabuleuse Histoire d'un Royaume* vers laquelle convergent les énergies de centaines d'artistes amateurs. Pour eux, la culture traduit les beautés de la vie ainsi que les charmes de la région, les épreuves à surmonter et l'attachement viscéral de la population à cette patrie qu'elle porte en elle. Elle exprime l'acharnement d'un peuple à protéger sa langue, ses traditions, son histoire et son devenir. Elle exalte également son besoin de réjouissance qui se nourrit à la succession joyeuse des festivals musicaux, des fêtes populaires, des carnavals, des spectacles grands et petits, des célébrations qui alternent des villes aux villages. Cette joie, il faut la partager, la communiquer, pour qu'elle devienne le prétexte de la rencontre. Ici, plus que partout ailleurs, on mord dans la vie à belles dents, on la savoure, on l'aime, on la célèbre et on veut rendre cet enthousiasme communicatif.

Albert Larouche et Hélène Beck

LA TERRE ET LE CIEL

C'est le mariage de l'histoire et de l'art ; de la rigueur des faits et de l'inspiration débridée, de la terre et du ciel, de la mémoire et de l'éternité.

Ancien réalisateur à la radio d'État, Albert Larouche a voué une grande partie de sa carrière à la préservation de la tradition orale. Hélène Beck, artiste-peintre de renom, « la doyenne de la région », comme elle ose l'avouer, garde dans son art comme dans sa vie quelques touches d'audace, quelques traits d'impudeur et certaines couleurs irrévérencieuses. « Je suis l'homme du couple », clame-t-elle.

La découverte de l'archéologie a bouleversé leur vie commune. Le coup de foudre s'est transformé en passion durable. Un engouement qui les a conduits au fil de toutes les grandes rivières, cartes anciennes à la main, à la poursuite des vestiges ou des stigmates enfouis sous le passé.

Tous deux se sont installés sur un des sites les plus réputés de la préhistoire régionale, à l'entrée de la Grande Décharge, ainsi que de l'histoire plus récente, tout près de l'île Beemer. De là, ils peuvent suivre le temps qui s'écoule à partir de la grande clepsydre du lac.

L'ÉLÉMENT INDISSOCIABLE

L'eau et le destin du royaume

De l'eau vient l'énergie qui
a attiré la grande industrie.
Coulée d'aluminium.

Pas le moindre instant de l'évolution économique du Saguenay–Lac-Saint-Jean n'est dissociable de l'élément maître du royaume : l'eau. Même si la portion aquatique de la région ne couvre que 10 % du territoire, contre 10 % de la superficie vouée à l'agriculture et 80 % recouverte par la forêt, l'eau a assurément favorisé le destin du Royaume.

Dès le départ, et pour des siècles, l'eau est la voie de communication et de pénétration unique à l'intérieur de ce vaste domaine asservi au commerce des fourrures.

Lorsqu'on prend d'assaut les rives du Saguenay et des grandes rivières pour en extirper le pin géant dont on dit qu'il est le plus beau bois de construction au monde parce que 70 % des arbres sont exempts de nœuds, l'eau fait encore figure de route d'accès, de mode de transport de la matière première, de source d'énergie pour les scieries et, même, à la limite, de justification de l'exploitation forestière puisque les grands arbres sont transformés en mâts de bateau.

L'eau permet l'entrée des missionnaires, suivis des coureurs des bois et des colons qui remontent jusqu'au nord du lac Saint-Jean, et jusqu'à la baie d'Hudson.

Sur la plaque tournante de l'industrialisation arrive alors le développement fulgurant de l'hydroélectricité qui va bouleverser tout le paysage économique et propulser le Saguenay–Lac-Saint-Jean dans une ère de modernité. La domestication de l'eau s'effectue au profit de la naissance de la grande entreprise. Les scieries et les usines de papier poussent non loin de tous les barrages. L'aluminium prend ensuite la vedette. Grande consommatrice d'énergie, cette nouvelle exploitation se branche directement sur la puissance de la houille blanche, qui lui permet de rayonner dans le monde entier.

L'eau continue d'être l'élément moteur de nombre d'industries et de faire vivre des milliers de travailleurs. Le Saguenay–Lac-Saint-Jean, qui a échappé à la nationalisation de l'électricité dans les années 60, est devenu un grand

producteur d'énergie, une puissance mondiale dans les secteurs de l'aluminium, des pâtes et papiers ainsi que du bois d'œuvre. Pour se défaire de sa vocation exclusive de fournisseur de matière première, la région s'attaque maintenant à la diversification de son économie en se lançant dans la transformation sur place. Dans ce combat de tous les instants, la force innovatrice des Bleuets se

révèle au mieux. Et, de nouveau, l'eau représente un outil déterminant avec la présence de deux ports de mer, à Chicoutimi et à La Baie, qui permettent aux produits régionaux d'accéder directement aux marchés internationaux.

L'industrie forestière, à l'origine du développement de la région et toujours très active.

UN ROYAUME BÂTI SUR L'EAU

Entre des murailles de pierre,

sous une coupole peinte par les vents et les crépuscules,

sur un socle de glace, dans une contrée conquise de luttes épiques,

l'imaginaire a voulu un royaume que les Indiens,

les coureurs des bois et les défricheurs

lui ont offert dans un coffret d'écorce de bouleau.

LA FUITE DES HORIZONS

Mystères et légendes

Le Saguenay–Lac-Saint-Jean est l'incarnation vivante d'une nature généreuse et de grands espaces qui échappent aux horizons. Sur ce territoire à l'allure encore sauvage, des milliers de lacs isolés portent l'écho du chant du huart. Des rivières légendaires se déversent du Grand Nord, franchissent des forêts impénétrables, abreuvent l'ours et le loup, dévalent jusque dans une douce mer située au cœur des terres et se perdent dans les fonds insondables d'un des plus grands fjords du monde. La chose la plus extraordinaire réside dans le fait que toutes ces merveilles sont à portée de main au Saguenay–Lac-Saint-Jean. La baleine bleue géante ou la petite baleine blanche, les grands caps vertigineux, les paysages renversants, les couchers de soleil bouleversants, la paix profonde de la forêt, le rapide qui dévale en trombe et le sentiment de liberté intense que ces éléments nous pro-

curent... C'est le Saguenay–Lac-Saint-Jean ! Bien plus qu'une simple région... Un royaume fabuleux et merveilleux qui fascine tous ses visiteurs depuis Jacques Cartier, en 1535.

« L'un des atouts qui ont donné au Royaume du Saguenay un caractère mystérieux depuis les premiers explorateurs européens est certes sa géographie, en particulier le fjord grandiose et la grande mer intérieure que constitue le lac Saint-Jean ! Le Saguenay mystérieux, le Saguenay légendaire racontés par les premiers explorateurs et les écrivains ne sont pas sans évoquer la nature de la région », précisent d'emblée les historiens Camil Girard et Normand Perron dès l'amorce de leur *Histoire du Saguenay–Lac-Saint-Jean.*

« À 112 milles (180 kilomètres) à vol d'oiseau au Nord de Québec s'étale », écrit le géographe Raoul Blanchard, « une vaste dépression de plusieurs milliers de milles carrés, taillée comme à l'emporte-pièce au travers des plateaux laurentiens ; [...] il s'agit d'une sorte d'oasis plantée au milieu de la rude nature laurentienne [...] ».

Pour comprendre la région, il faut connaître son bassin hydrographique. L'Anse-de-Roche, fjord du Saguenay.

Le Saguenay–Lac-Saint-Jean est une grande région de 107 952 km^2 où vivent environ 287 000 personnes, soit, approximativement, 4 % de l'ensemble de la population québécoise sur 7,8 % du territoire national.

C'est d'abord par le déploiement de son bassin hydrographique qu'il faut tenter d'interpréter puis de comprendre l'espace géographique et l'échiquier humain de la seule région administrative du Québec qui corresponde parfaitement à son bassin hydrographique. Une région solidement ancrée à la plus ancienne fondation géologique du globe, le Bouclier canadien, formé à l'ère précambrienne, il y a 1,4 milliard d'années.

D'une superficie de 88 000 km^2, le bassin hydrographique du Saguenay–Lac-Saint-Jean est contenu entre 48°et 53° de latitude nord et 70° et 75° de longitude ouest. Seulement au Lac-Saint-Jean, on compte 550 km de distance entre ses extrêmes nord et sud, alors que la marge la plus éloignée entre ses limites est et ouest atteint 200 km. Il constitue, en importance, le second sous-bassin du fleuve Saint-Laurent et le quatrième en importance dans tout le Québec. En comparaison, sa superficie dépasse celle du Nouveau-Brunswick.

Plus de 90 % de la totalité des eaux de ce bassin convergent par 46 rivières et ruisseaux dignes de mention vers la dépression du lac Saint-Jean qui laisse échapper le trop-plein par ses deux émissaires, la Grande Décharge et la Petite Décharge, puis son exutoire naturel qu'est la rivière Saguenay.

Chicoutimi, « jusqu'où l'eau est
profonde », point limite de la navigation.

IL Y A 180 MILLIONS D'ANNÉES...

Lorsque la terre s'effondra

Un paysage géologique
sculpté par les glaciations.

L'histoire du Saguenay–Lac-Saint-Jean est jeune puisque la région ne s'ouvre à la colonisation qu'en 1838 et, bien sûr, en relation avec l'âge de la Terre (4,6 milliards d'années), on peut également affirmer que sa formation est toute récente. Il y a 180 millions d'années, un long fossé d'effondrement marque son empreinte dans les Laurentides, traçant les limites physiographiques de ce qui allait devenir le Saguenay–Lac-Saint-Jean. Cet affaissement creuse deux grandes failles dont les traces restent toujours perceptibles. Au nord, la première suit l'axe du lac Tchitogama et longe le seuil des monts Valin avant de s'engager dans le sillon de la rivière Sainte-Marguerite jusqu'au Saint-Laurent. La seconde, au sud, s'étire en traçant une ligne qui se prolonge de Val-Jalbert au fleuve en empruntant la direction du mont Lac-Vert avant de s'orienter vers le sud du lac Kénogami et le lac Ha ! Ha !

La plaine du lac Saint-Jean et la vallée du Saguenay occupent aujourd'hui cette dépression qui, longtemps après sa formation, est touchée successivement par quatre glaciations. La dernière, celle du Wisconsin, a amorcé son mouvement il y a 60 000 ans. Lorsqu'on contemple la région des hauteurs du pic de la Hutte, d'où l'on a une vue d'ensemble, c'est le travail prodigieux du glacier laurentidien que l'on constate. Cette masse de glace inconcevable peut atteindre trois kilomètres (3 000 mètres) d'épaisseur et elle fait s'enfoncer le continent de 300 mètres sous son poids. Elle descend jusqu'à la latitude de New York et de Chicago, érodant toute la croûte terrestre au rythme de cinq millimètres annuellement, sculptant le paysage tel qu'il se présente à nos yeux de nos jours.

Cap Trinité, un des plus
fabuleux joyaux du
royaume.

En se retirant, il y a plus ou moins 10 000 ans, le glacier provoque deux phénomènes qui sont également déterminants dans la configuration de la région : la hausse considérable du niveau des eaux ainsi que le relèvement de la croûte terrestre qui est littéralement écrasée par la masse glaciaire.

Se forme alors la mer de Laflamme, ainsi nommée en l'honneur du premier géologue québécois, Mgr Joseph-Clovis-Kemmer Laflamme (1849–1910), qui s'est beaucoup intéressé à la géologie du Saguenay–Lac-Saint-Jean. L'inondation laissée par la fin de la glaciation crée donc une immense mer intérieure qui submerge le fossé d'effondrement décrit plus haut, et même plus

puisque les eaux froides et saumâtres remontent jusqu'aux abords de Saint-Ludger-de-Milot, au nord.

Pour comprendre la présence d'une plaine agricole luxuriante tout autour du lac Saint-Jean, on doit remonter jusqu'à cette époque charnière alors que tous les débris de boue et d'argile charriés par les glaciers se déposent lentement sur le fond plat de la mer de Laflamme. Avec le retrait progressif de la mer, les rivières commencent à creuser leur lit et à drainer les quantités importantes de sable qui forment leurs deltas, comme on le constate aisément à l'embouchure des rivières Péribonca, Mistassini, Ashuapmushuan, Éternité, Sainte-Marguerite et de

presque tous les autres affluents du lac Saint-Jean et du Saguenay. De plus, le sable et les matières solides ainsi transportés recouvrent une bonne partie des boues marines et de l'argile laissées par le glacier. Il

n'en faut pas plus pour doter le Lac-Saint-Jean et certains secteurs du Saguenay de terres arables d'une grande fertilité.

Le lac Saint-Jean est entouré de riches terres arables.
Secteur du lac Vert.

La domestication des eaux

Un bassin hydrographique sous contrôle

L'érection d'une multitude de barrages a modifié l'écologie de la région. Barrage Chute à Caron, Jonquière.

Une des fausses impressions les plus persistantes au Saguenay–Lac-Saint-Jean est celle d'une nature vierge qui est restée sauvage et qui n'a pas, ou presque pas, subi de transformations. Les bouleversements les plus draconiens ont, sans nul doute, été principalement infligés au bassin hydrographique par l'érection d'une multitude de barrages qui ont irréversiblement modifié l'écologie de l'ensemble de la région. Il aura fallu le « déluge » de juillet 1996 pour que la population réalise brutalement à quel point la totalité du bassin hydrographique du Saguenay–Lac-Saint-Jean est soumis aux impératifs de la grande industrie, et les dangers que cette situation comporte.

Le cas de l'endiguement du lac Saint-Jean, en 1926, n'est pas unique et compte de nombreux précédents à l'époque. Dès 1923, l'aménagement du lac Kénogami vient subvenir aux besoins en énergie des papetières de Jonquière qui comptent, à ce moment, parmi les plus grandes du monde. À la suite de la construction de six barrages, le niveau du lac Kénogami est élevé de dix mètres et la superficie du réservoir passe de 13 km^2 à 37 km^2.

C'est le gouvernement du Québec qui, à partir de 1867, alloue les pouvoirs d'eau aux particuliers autant qu'aux entreprises. Et il n'y va pas de main morte puisqu'il en retire des revenus appréciables. C'est ainsi que les murailles de ciment se mettent à pousser en travers de tous les cours d'eau, créant des lacs là où il y avait des rivières, des chutes et des rapides.

Quelques rivières, parmi les plus fortes, demeurent vierges et indomptées. Il s'agit de

l'Ashuapmushuan, de la Mistassini et de la Mistassibi. La fin du XXᵉ siècle marque celle de l'écoulement libre de la Mistassini qui doit franchir un barrage à son embouchure. Quant à l'Ashuapmushuan, elle reste très convoitée et des projets d'aménagement sont toujours à l'étude.

En juillet 1996, le quartier du bassin est l'un des plus sévèrement touchés par le débordement de la rivière Chicoutimi. Au milieu du site dévasté et réaménagé depuis, la « Petite Maison blanche » est devenue un symbole de solidarité et de ténacité pour la population du Saguenay–Lac-Saint-Jean.

L'EAU DU MOULIN

L'aire des défricheurs

Le moulin des Pionniers,
La Doré.
Une superbe illustration du
travail des anciens.

Tant l'eau vient au moulin, tant le bois descend des forêts sur les rivières qui courent, autant les pionniers ont-ils les moyens de s'implanter et de vivre sur ces terres inhospitalières au premier abord. C'est là le destin des ouvriers et le fondement de l'empire des investisseurs. L'eau est gage de travail et de survie pour les uns, de profit pour les autres.

Au Saguenay comme au Lac-Saint-Jean, on a souvent bâti les moulins à scie avant d'ériger les maisons. La clameur des scies rondes, la valse des chariots baladeurs et le tumulte des engrenages de bois se sont fait entendre au fond de toutes les baies et le long de bien des rapides. Quand la forêt reculait trop loin, on n'avait qu'à démonter les moulins pour les rebâtir dans la baie suivante jusqu'à ce que l'électricité et le transport routier entrent en ligne de compte, jusqu'à ce que la matière première s'épuise.

Le moulin du Père
Honorat, Laterrière.

Le moulin des
Pionniers et la rivière
aux Saumons.

LES GRANDS CHEMINS D'EAU

Ashuapmushuan, Mistassibi, Mistassini, Péribonca et toutes les autres...

Elles en ont vu passer, ces grandes rivières, des canots d'écorce

chargés de fourrures que les Montagnais menaient au poste de traite

de Métabetchouan, de Chicoutimi ou de Tadoussac.

Pour tous ceux qui se désignent comme les premiers habitants,

ces cours d'eau ont essentiellement été des routes.

Un réseau complexe de chemins et de portages qui permettait d'accéder

à toutes les parcelles de territoire, de la mer du Nord jusqu'à celle du Sud.

TOUTE CETTE EAU !

De la friche jusqu'au fjord

Toute cette eau qui ruisselle sur une glèbe parcheminée. Toute cette eau qui s'est déliée des nuages pour ondoyer dans les brouillards jusqu'à ce qu'elle se heurte à quelque élément solide. Elle ne cherche même pas à fuir sa stagnation à moins que le soleil ne vienne la happer. Il ne se trouve que la convexité du globe pour la faire glisser sur les ravinements de l'amont à l'aval. Toute cette eau finira bien par répondre à l'appel du grand lac ou du fjord. Elle s'insinuera dans une rigole qui la guidera vers le ruisseau puis dévalera jusqu'à l'étang des castors. Elle trouvera ensuite la décharge qui coule jusqu'à la rivière puis qui se gonfle à la croisée des confluents. Partie du néant, elle pourra devenir puissante, menaçante, fatale. Son passage sera plus fort que la pierre la plus dense. Sa colère sera redoutable et rien, pas même les barrières érigées par l'humain, ne réussira à la soumettre définitivement. D'ailleurs, la pire méprise de l'Homme n'est-elle pas de vivre dans la tranquille assurance de celui qui croit dominer les éléments ?

Ashuapmushuan, Mistassibi, Mistassini, Péribonca et toutes les autres... Elles en ont vu passer, ces grandes rivières, des canots d'écorce chargés de fourrures que les Montagnais menaient au poste de traite de Métabetchouan, de Chicoutimi ou de Tadoussac.

Pour tous ceux qui se désignent comme les premiers habitants, ces cours d'eau ont essentiellement été des routes. Un réseau complexe de chemins et de portages qui permettait d'accéder à toutes les parcelles de territoire, de la mer du Nord jusqu'à celle du Sud.

Route des fourrures empruntée par les autochtones et les coureurs des bois, le royaume du Saguenay–Lac-Saint-Jean a marqué son destin de deux phénomènes naturels exceptionnels. Un lac éblouissant coulé dans un écrin champêtre : le lac Saint-Jean. Un fjord incomparable par sa splendeur grandiose : le Saguenay.

Au carrefour des rivières, on remarque, dans le décor d'une toile de grand maître,

quelques villages pittoresques lovés au creux des anses et des baies. On s'étonne ensuite de voir apparaître des villes modernes dont l'économie est axée sur les méga-industries de transformation des ressources naturelles ainsi que sur le commerce et les services. Des villes trépidantes où l'on vit à l'heure de l'avenir et au rythme des technologies d'avant-garde. Plus avant, un chapelet de localités agricoles et industrielles, aux champs verdoyants et à l'horizon qui s'élève vers les Laurentides encerclent le lac Saint-Jean. Voilà le tableau de splendeurs qui s'offre au regard et qui se renouvelle inlassablement au fur et à mesure que l'on en fait le tour.

ASHUAPMUSHUAN

L'endroit où l'on quette l'orignal

Les chutes de la Chaudière sur la rivière Ashuapmushuan, un rapide infranchissable et assourdissant.

Avouons, dès le départ, le faible que nous avons pour cette rivière extraordinaire. L'Ashuapmushuan incarne effectivement tout ce qu'une grande rivière peut exprimer de noblesse, de force, allant même jusqu'à la rage, de sauvagerie, poussant jusqu'à l'insoumission la plus opiniâtre. Elle ne connaît que les extrêmes, de la douceur lascive à la violence déconcertante. Surtout, elle reste telle que l'ont vue, durant des millénaires, les générations de Montagnais et d'Amérindiens de toutes les nations qui l'ont descendue et remontée chaque été. Elle porte encore la marque des pas de Charles Albanel, Louis Jolliet, Jean-Baptiste Franquelin, Guillaume Delisle, Radisson, Des Groseilliers, Normandin, et combien d'autres personnages légendaires, sur les chemins de portage dont le sillon encavé ne s'est jamais effacé. Son mugissement autoritaire indique sans équivoque qu'elle demeure maîtresse incontestable de sa destinée, de son passé d'une opulence inouïe et, souhaitons-le, des temps futurs.

La rivière Ashuapmushuan naît d'un lac qui porte le même nom. Après une course de 200 km, elle se déverse dans le lac Saint-Jean, à la hauteur de Saint-Félicien. On la considère comme le site de reproduction privilégié de la ouananiche.

Les explorateurs et cartographes des siècles passés désignent souvent la rivière par l'appellation Chamouchouane ou Nacabau que l'on retrouve sur plusieurs cartes anciennes. Suivant l'avis de l'arpenteur Joseph-Laurent Normandin, en 1732, Chamouchouane est officiellement adopté en 1917. Plus tard, on en modernise l'orthographe pour en faire Ashuapmushuan, le toponyme qui se généralise à partir des années 1980.

L'Ashuapmushuan, paradis de la descente en canot.

Réserve faunique Ashuapmushuan

LE TERRITOIRE INVIOLÉ

La route qui réunit les villes minières de Chibougamau et Chapais au Lac-Saint-Jean traverse ce qui est la Réserve de Chibougamau en 1946 et qui devient la Réserve faunique Ashuapmushuan en 1985. Elle enjambe un territoire de trappe occupé par de nombreuses familles montagnaises. L'arrivée de la route facilite l'accès à une foule de chasseurs et de pêcheurs qui envahissent cette immensité dès son ouverture. C'est donc pour assurer la protection de cette région que l'on crée une réserve faunique de 4 487 km^2 qui contient 1 200 plans d'eau et que borde la rivière Ashuapmushuan sur près de 75 km.

En plus d'être un paradis de chasse et de pêche, avec certains aménagements de camping rustique et de villégiature fort intéressants, on considère unanimement la Réserve comme La Mecque de la descente de rivière en canot pour les avironneurs aguerris. Un parcours de 150 km sur l'Ashuapmushuan assure toutes les émotions et toutes les joies aux sportifs ou, sur une plus courte distance, aux néophytes qui s'y aventurent à bord des grands canots du Nord qu'on appelle également « rabaska », des canots géants dans lesquels monte une dizaine d'avironneurs. Sur cette trajectoire, on croise un site prodigieux : les chutes de la Chaudière. Plus qu'un rapide, il s'agit d'une cataracte où la rivière s'engouffre en manifestant une puissance inconcevable. Dans un vacarme assourdissant, le courant heurte les parois rocheuses avec une violence effrayante qui surpasse tout pendant la crue printanière. Pour éviter ce passage infranchissable, les canoteurs empruntent aujourd'hui le même portage que les Indiens au cours des millénaires. Sur le rivage de pierre plate et le long du portage, on peut admirer des chaudrons (des orifices dans le roc) qui atteignent plusieurs mètres de profondeur et que la force de l'eau érode patiemment en y faisant tournoyer du sable ou de petits cailloux. Quelles pures merveilles de la nature et du temps !

MISTASSIBI, MISTASSINI

« La grande rivière » et « la grosse roche »

Mistassibi, en montagnais, signifie « grande rivière » et désigne un important cours d'eau qui prend sa source dans une région de lacs innommés, à environ 50 km de la baie Canso du lac Albanel, voisin du lac Mistassini. La Mistassibi s'écoule vers le sud, à l'instar de sa jumelle la Mistassini, sur une distance de 300 km. Sur son passage, elle se gonfle pour créer le lac au Foin, une échancrure magistrale flanquée d'une falaise vertigineuse. Elle reçoit, d'autre part, les eaux de la rivière aux Oiseaux, du Dépôt et de la Mistassibi-Nord-Est, avant de terminer sa course dans la rivière Mistassini.

La rivière Mistassini, quant à elle, débute à la frontière du territoire de la Baie-James, entre les lacs à l'Eau Froide et De Vau, approximativement à 80 km à l'est du lac Mistassini. Elle s'étire sur 298 km et couvre un bassin versant de 21 885 km^2 de superficie. La partie supérieure de son cours est particulièrement agitée, passant de rapides en chutes et en cascades. La Mistassini se déverse ensuite dans la partie nord du lac Saint-Jean, à Saint-Méthode. Elle est alors navigable de son embouchure, en remontant de 25 km en amont, jusqu'aux villes de Dolbeau et de Mistassini. Dans ce secteur paisible, elle réserve d'agréables et d'étonnantes surprises aux navigateurs, notamment une multitude d'îles

à la végétation dense ou de grandes îles de sable en plein milieu de son cours, sur lesquelles on s'arrête en canot, en kayak, en hors-bord et, même, en hydravion. D'ailleurs, l'omniprésence du sable est l'une des caractéristiques principales de la Mistassini, comme de la Mistassibi. Les plages magnifiques se trouvent partout sur son cours et à son embouchure.

Sa configuration change constamment, modelée par les courants et par la variation de la hauteur du lac Saint-Jean. Ce n'est donc pas pour rien que Louis Jolliet l'appelait Kakigoua, en 1679, ce qui signifierait « celle où le sable est coupé perpendiculairement ». Le cartographe Nicolas Bellin en parlait, en 1764, comme de la rivière aux Sables. C'est le seigneur de Kamouraska, Paschal-Jacques Taché, qui consacra finalement le toponyme et sa graphie dans un document cartographique datant de 1825.

La rivière Mistassini prend sa source aux limites du territoire de la Baie-James.

La Péribonca

Périuvanga : « rivière creusant dans le sable »

La rivière Péribonca est aisément canotable sur une centaine de kilomètres, entre le lac Tchitogama et les fourches de la Manouane.

Le plus considérable des tributaires du lac Saint-Jean (28 690 km²) prend sa source dans une région marécageuse du Grand Nord québécois, près des monts Otish. De là, jusqu'à sa rencontre avec le Piekouagami, la rivière franchit 547 km dans un milieu naturel spectaculaire. Très fréquenté par les Montagnais pour atteindre la rive sud-est du lac Mistassini, le territoire de la Péribonca est devenu leur site de chasse et de campement par excellence. Aux livres d'histoire des Blancs, la première mention de la rivière Péribonca est inscrite en 1679 par le père François de Crespieul, dans le Registre des missions. En octobre de la même année, le célèbre explorateur Louis Jolliet revient à Québec en empruntant cette route. Le premier, il en exécute le tracé sur une carte manuscrite.

Durant plus de soixante-dix ans, de 1925 à 1997, la rivière Péribonca est recouverte de bois sur une distance de 230 km. Il en passe plus de huit millions de mètres cubes, soit l'équivalent de 200 000 camions. Il va de soi que le flottage du bois perturbe les écosystèmes du bassin de la rivière ; cependant, elle est partiellement épargnée à cause de la force de son débit qui transporte plus loin, dans le lac Saint-Jean, la plupart des matières solides. Au moment où le flottage du bois est définitivement stoppé en 1997, une grande opération de nettoyage des berges réhabilite la rivière de façon remarquable. Ce merveilleux cours d'eau est redonné à ses utilisateurs et à tous les adeptes de plein air qui peuvent ainsi découvrir ses beautés à couper le souffle, son cours changeant qui va des larges étendues d'eau calme aux passages serrés plus actifs, des gorges escarpées aux sections parsemées d'îles, de grèves et de bancs de sable. La Péribonca deviendra, à n'en pas douter, une destination des plus convoitées par les amateurs de descente de rivière, un pays de rêve qui s'offre enfin à tous.

Renald Carrier

L'ÉCOLE DE LA RIVIÈRE

Renald Carrier est allé à l'école de la rivière. Pas à l'école de toutes les rivières. Il ne fréquente que la faculté de la Péribonca où il obtient, avec honneur et mérite, une maîtrise en drave. Il fait ses classes à bord d'un alligator, le Diable, un de ces petits remorqueurs de fer puissants et malléables mais dont il faut se méfier. Aux commandes de cette coquille de métal, il apprend à lire le vent malin et les courants variables ainsi qu'à compter les cayes menaçantes à fleur d'eau. Il s'invente un océan à même sa rivière qui monte et descend sans qu'il y ait de marée. Une mer prisonnière de ses montagnes et de ses barrages.

Dans la nuit noire et sans repères ou dans le jour de chaleur et de vent, le Diable lui démontre ses pouvoirs chaque fois qu'il faut encercler les bûches en dérive dans un long baume de cinquante pièces. Il emballe ce « raft » comme on ficelle un présent gigantesque, en l'étreignant et en l'enfermant jusqu'à ce que le bois fasse un parquet. Là où la rivière forme un lac, le chemin cesse de marcher. Le Diable prend alors les devants en touant cette masse irréelle dans un étroit corridor parsemé de pièges. Une fois le cortège mis en branle, il atteint une vitesse de pointe d'un mille à l'heure et rien ne peut plus

l'arrêter. Le radeau de géant, dans sa course au ralenti, peut écraser l'alligator comme l'éléphant une noisette. Mais Renald Carrier connaît bien le Diable. Il a signé un pacte avec lui pour que l'un et l'autre sortent définitivement de l'eau ensemble. Aujourd'hui, l'échine brisée, Carrier, après avoir été maître draveur, est devenu maître passeur sur la Péribonca. Il reste toujours fidèle à sa rivière, à son école, à son village de Notre-Dame-du-Rosaire. Le Diable a terminé sa carrière en nettoyant les berges de la rivière en 1998, puis on l'a sorti à gué, brisé par le temps et par les vandales. C'est sans plus de cérémonie que toute une époque passe à l'histoire.

LE LAC KÉNOGAMI

« Le lac long »

La héronnière du lac Kénogami.

Le lac Kénogami, voie d'eau majeure reliant le Saguenay au lac Saint-Jean, s'étend sur 28 km de longueur, sa largeur varie de 1 à 6 km et sa profondeur dépasse parfois 100 m. Non seulement s'agissait-il du trajet emprunté anciennement par les canots qui venaient du nord ou du sud, mais la bordure sud du lac a aussi servi de première route terrestre faisant le lien entre le Saguenay et le Lac-Saint-Jean. Du moins jusqu'à l'érection de barrages aux deux extrémités qui a eu comme conséquence de modifier radicalement la configuration de l'étendue d'eau, transformée en réservoir. Lors du rehaussement des eaux, en 1923, ce chemin a disparu, en même temps que la colonie agricole de Saint-Cyriac.

Le lac Kénogami, dont la rive nord s'appuie sur le massif des Laurentides, s'affirme maintenant comme l'un des sites de prédilection pour la villégiature et le nautisme au Saguenay–Lac-Saint-Jean. Le lac, qui compte une multitude d'îles, est cerné de résidences secondaires et de très vastes espaces demeurés sauvages où l'on vient de développer un long réseau de sentiers de randonnée pédestre dans le cadre de l'aménagement d'un parc régional. Enfin, d'importants campings et centres de plein air bordent le Kénogami.

Longue saillie qui s'appuie sur les Laurentides en marge du lac Saint-Jean et du Saguenay, le lac Kénogami était la rivière et le principal chemin d'eau sur la route des fourrures.

La rivière aux Sables et la rivière Chicoutimi

La rivière dans la ville

Ces deux émissaires partent d'une même source, le lac Kénogami, pour se diriger vers une même destination, le Saguenay. Ils ont en commun cette autre propriété de baigner chacun l'une des deux principales agglomérations urbaines du Saguenay–Lac-Saint-Jean : Chicoutimi et Jonquière.

Désignée par les Amérindiens par l'appellation Paissagoutchitchi, la rivière aux Sables n'a jamais été véritablement propice à la navigation à cause de ses eaux basses, de ses nombreux bancs de sable qui lui ont valu son nom et des chutes qui ponctuent son parcours de 10 km.

Des barrages et des centrales ont été érigés en maints endroits sur son cours mais ce qu'on retient surtout, à l'heure actuelle, ce sont les amé-

nagements superbes effectués par la ville de Jonquière que la rivière traverse de part en part. Exemple convaincant d'aménagement urbain réussi, les travaux de la Promenade de la Rivière-aux-Sables et de son Parc des nations de la francité ont suscité un engouement indéniable dans la population qui a souvent grandi

dans l'indifférence et l'irrespect face à sa rivière.

Aujourd'hui, toutes les strates de la société jonquiéroise s'y retrouvent pour la pêche, la promenade, les activités nautiques et plusieurs activités culturelles, dont certaines d'envergure internationale.

La rivière aux Sables coule du lac Kénogami au Saguenay en traversant toute la ville de Jonquière.

La rivière Chicoutimi, plus grand bassin-versant tributaire du Saguenay.

La rivière Chicoutimi est bien la plus urbaine et la plus endiguée des rivières du Saguenay. De sa source du Portage-des-Roches sur le lac Kénogami jusqu'à la fin de son parcours, alors qu'elle se jette dans le bassin de Chicoutimi puis dans le Saguenay, elle compte pas moins de cinq barrages et elle traverse les municipalités de Laterrière et de Chicoutimi.

Plus grand bassin versant tributaire du Saguenay, la rivière Chicoutimi est une plaque tournante de la Route des fourrures et son rôle stratégique se confirme lors de la fondation de la Traite de Chicoutimi en 1676. L'embouchure est fréquentée depuis toujours par les nations autochtones qui y dressent des établissements saisonniers et qui s'y installent de façon plus sédentaire avec l'arrivée des Blancs. La rivière, en tant que route, permet de contourner les rapides du Saguenay pour se rendre au lac Saint-Jean en passant par le lac Kénogami. Les jésuites Gabriel Druillet et Claude Dablon nous font un premier compte rendu de leur arrivée à la rivière Chicoutimi en 1661 : « Le sixième [jour], nous arrivons de bonne heure à Chegoutinis, lieu remarquable pour estre le terme de la belle navigation, & le commencement des portages, c'est ainsi que nous appelons les lieux, où la rapidité & les cheutes d'eau obligent les Nautonniers de mettre à terre, & porter sur leurs épaules leurs Canots & tout l'équipage, pour gagner le dessus du Sault. »

À la suite de l'arrivée de Peter McLeod, en 1842, le bassin de la rivière Chicoutimi se voit attribuer une nouvelle vocation indus-

trielle avec la construction d'une importante scierie. En 1896, Joseph-Dominique Guay y amorce l'ère des grandes papetières avec la création de la Compagnie de pulpe de Chicoutimi qui utilise la force motrice de la rivière. Quant au barrage du bassin, il est érigé en 1923.

La présence du Saguenay au centre de Chicoutimi confère à la ville un caractère absolument unique.

LA RIVIÈRE À MARS
Un corridor de granit

Sur une carte cadastrale de 1867, on ne parle pas de Mars mais bien de Marc Simard, ce pionnier charlevoisien qui délaisse les fondateurs de la paroisse Saint-Alexis en 1838 pour s'installer en squatter à l'autre bout de la baie des Ha ! Ha !, dans ce qui n'est pas encore Bagotville, encore moins La Baie. À l'époque, on prononçait « mars », si bien qu'on en vient à orthographier son prénom Mars.

La rivière qui l'a immortalisé part du lac à Mars, dans la Réserve faunique des Laurentides, et descend sur 80 km vers la baie des Ha ! Ha ! et le Saguenay. À 10 km de son embouchure, elle franchit le centre de plein air Bec-Scie, dont les magnifiques aménagements de randonnée permettent d'admirer une muraille rocheuse qui surplombe une ligne de faille de 700 mètres de long où l'eau rejaillit entre d'immenses blocs de granit.

Le parc Mars, à l'embouchure, devant la baie des Ha ! Ha !

Jean-Jules Soucy

L'ARTISTE DE LA BDAA

L'encombrement étudié de l'appartement de Jean-Jules Soucy traduit à la fois la complexité et l'extravagance de sa démarche artistique. Comme un repère temporel et géographique, la fenêtre accrochée au mur donne sur la baie des Ha ! Ha ! Pour le reste, l'imaginaire est roi et le créateur est régicide.

Derrière ses yeux de grand enfant et sa bonhomie, les concepts abstraits se fondent aux notions géométriques en déliant des cascades phonétiques qui aboutissent au creux de l'entonnoir d'une pyramide jusqu'à redevenir le « d » primal qui recèle le « système d » que Jean-Jules Soucy a laborieusement élaboré et qu'il est seul à pouvoir expliquer.

Malgré l'altitude de ses envolées, l'artiste contemporain s'inscrit résolument dans la réalité de sa région et de sa ville, toujours de façon délicieusement subversive, finement humoristique, subtilement fantaisiste. Il lui redonne, dans une œuvre monumentale, l'évocation du lit originel de la rivière Ha ! Ha ! d'où

découle la tragédie qui a frappé La Baie ou, comme il écrirait, la bdaa. Jean-Jules Soucy recycle la réalité pour en faire du rêve tout neuf.

La rivière Sainte-Marguerite

Vallée des merveilles

La vue de l'embouchure de la rivière Sainte-Marguerite et de sa baie des merveilles est une des plus belles choses qu'il soit donné à l'esprit humain d'apprécier ; un des paysages les plus bouleversants ; une élévation de l'âme et du cœur. La rivière elle-même, au fond de sa vallée majestueuse, a de quoi émouvoir les spectateurs les plus insensibles par son envergure et sa solennité.

La rivière Sainte-Marguerite, une des plus belles choses qu'il soit donné à l'esprit humain d'apprécier.

La rivière Sainte-Marguerite, un des principaux affluents du Saguenay, sillonne entre les montagnes sur près de 100 km de longueur et elle termine sa course à Sacré-Cœur pour se jeter dans le Saguenay à environ 25 km en amont de son embouchure dans le Saint-Laurent. Au fil de sa trajectoire louvoyante, elle se gonfle des eaux du bras des Murailles et de la Sainte-Marguerite Nord-Ouest puis elle reçoit le tribut de la Sainte-Marguerite Nord-Est avant d'atteindre son delta sablonneux de plus de un kilomètre de largeur dans la baie Sainte-Marguerite.

Dès 1840, les pionniers de la municipalité de Sacré-Cœur s'installent ici illicitement puisque le secteur est encore sous l'autorité de la Compagnie de la baie d'Hudson qui y exploite un établissement de pêche au saumon. Le hameau connaît ensuite, de 1885 à 1920, une période de fébrilité liée à l'exploitation forestière et à la mise en activité, en 1906, d'une scierie. Les fantômes des acteurs de cette épopée errent encore dans les sous-bois qui ont recouvert les ruines de l'usine. Ils se promènent, quand le soleil se cache derrière l'île Saint-Louis, sur la longue plage de sable blond et repartent vers les profondeurs du fjord avec le baissant de la marée qui engloutit l'eau de la baie.

La baie Sainte-Marguerite, un des paysages les plus bouleversants.

Quatuor à saumon

Les quatre belles

Le fjord du Saguenay compte quatre rivières à saumon qui se sont regroupées sous la dénomination touristique du Quatuor des rivières à saumon.

La plus prestigieuse d'entre elles demeure la rivière Sainte-Marguerite. Surtout que le prince de Galles y est venu en 1860 avec William Price qui détenait alors l'exclusivité du droit de pêche. Elle est alimentée en alevins par la pisciculture de Tadoussac depuis 1875 et elle réserve au saumonier qui se rend à Bardsville, ou qui a la chance d'être accueilli au camp de pêche patrimonial de la compagnie Alcan, un bon rendement ainsi qu'un décor idyllique.

Le fjord du Saguenay compte quatre rivières à saumon.

La rivière Petit-Saguenay rivalise de charme et de pittoresque avec les aménagements centenaires du Camp des Messieurs qui datent de l'époque de l'emprise de la famille Price sur la région puis de celle des clubs de pêche privés qui attiraient les riches *sportsmen* américains et canadiens. Le sentier qui conduit aux fosses révèle une nature apaisante et un cours d'eau splendide.

La rivière à Mars, une rivière à saumon située en pleine ville, a donné des résultats de pêche étonnants dans le passé et elle récupère maintenant fort bien des dommages que lui ont causés les inondations de 1996. On a aménagé, à son embouchure, une passe migratoire qui permet au visiteur de voir, presque nez à nez, les saumons géants qui entrent dans la rivière, de retour de leur périple en mer.

La rivière Saint-Jean, qui traverse le Royaume de L'Anse-Saint-Jean, offre un environnement différent de toutes les autres rivières à saumon du Saguenay. Un paysage plus champêtre ; une perspective plus lointaine ; un contact visuel avec le fjord et un hameau charmant.

La rivière Petit-Saguenay aux abords du village.

Émile « Petit » Savard

FUMEUR DE SAUMON

Émile Petit Savard a consacré sa vie à maîtriser et affiner un art qu'il a mené à son apogée. À force d'expérience, d'observation et d'expérimentation, il a développé une technique qui, d'une part, assure la conservation du monarque des rivières, le saumon, et, surtout, en raffine la saveur à l'extrême à partir des arômes de la nature. « Petit », c'est le surnom qu'on lui a donné. Pourquoi ? Là n'est pas notre propos. Petit est fumeur de saumon. Et comme il est le meilleur, il a la responsabilité d'apprêter les saumons de la Sainte-Marguerite que les messieurs du camp de pêche Alcan ont capturés.

Il affirme dur comme fer avoir lui-même inventé sa technique en quarante-cinq ans de pratique. La recette ? D'abord, la préparation. Le saumon doit être généreusement enduit de cassonade puis de gros sel. Ensuite, de fumée froide de résineux. Pour ce faire, Petit fait couver son feu à quelques mètres du fumoir et conduit la fumée à la cabane par un long tuyau où elle a le temps de refroidir. Ensuite, le saumon passe trois nuits successives en fumoir à se faire « boucaner ». Durant la journée, Petit le sort au grand jour pour qu'il s'imprègne de l'air de

la Sainte-Marguerite. Après soixante-douze heures, l'œuvre est achevée et la pièce est prête à honorer les meilleures tables du pays autour desquelles on racontera, comme cela se doit, d'impayables histoires de pêche.

LE LAC SAINT-JEAN

Écrasé par les glaciers puis submergé par des mers dont il demeure

l'empreinte ultime, le lac Saint-Jean apparaît aujourd'hui

comme une oasis pastorale entre les rivages sablonneux qui contiennent ses eaux

et le massif montagneux qui délimite sa région.

Dans cet espace chèrement conquis est née une culture originale

qui s'exprime par une façon de faire, une façon de dire et une façon de voir.

PIEKOUAGAMI

« *Plat et peu profond* »

À chaque moment du jour il présente un visage nouveau et des humeurs différentes.

P. 64 :
Coucher de soleil sur le lac Saint-Jean, une merveille quotidiennement renouvelée.

Il est immense, noble et beau, ce grand lac qui se donne des allures de mer. Il arrive à enjôler un jour et à épouvanter le lendemain, montrant des eaux calmes et rassurantes sous le soleil puis levant les vagues et tout l'armada de la tempête sans la moindre semonce. Ainsi soit-il, imprévisible mais envoûtant. À chaque moment du jour, de la nuit, des saisons, il présente un visage nouveau et des humeurs différentes. Même ceux qui le connaissent très bien ne lui font jamais totalement confiance à cause de sa susceptibilité. La tempête fait rage durant environ 700 heures entre les mois de mai et de novembre, alors que les vagues peuvent atteindre 2,5 mètres au large et 1,2 mètre sur les rives. Une saute d'humeur peut être engendrée par des vents du nord-ouest de 30 à 50 km/h alors que pour s'emporter dans une véritable colère, il faut au lac des bourrasques de 50 à 70 km/h. On remarque aussi que la tempête s'acharne plus durement sur des endroits précis du lac, en parti-culier Saint-Henri-de-Taillon, Saint-Gédéon et Métabetchouan, alors qu'elle ménage les secteurs de Mashteuiatsh, Mistassini et Chambord. Le lac a ses préférés !

Qu'il soit gorgé de la chaleur d'été ou prison-nier des glaces d'hiver, celui que les Amérin-diens appellent Piekouagami (« lac plat » ou « lac peu profond ») suscite d'abord le respect admiratif mais, en retour de l'amour passion que lui vouent ses riverains, il sait rendre, à sa manière, des instants de magie où, sur la plage de sable chaud, on se croirait sous d'autres cieux ; où, sous la poussée d'un souffle de travers, la grand-voile se gonfle en entraînant le bateau au large ; où, dans le blizzard qui s'élève, le blanc devient le seul élément.

D'une superficie de 1 053 km^2 (43,8 km de longueur et 24 km de largeur), le lac Saint-Jean est le cinquième du Québec pour ses dimensions. De forme ovale, il fait 210 km de

berges et contient plus de cinq milliards de mètres cubes d'eau à son niveau le plus élevé. Tout autour, vingt et une rivières s'y jettent dont les plus importantes dans l'ordre, la Péribonca, l'Ashuapmushuan, la Mistassini et la Mistassibi, déversent à elles seules 75 % de la totalité des apports en eau.

Quand on a l'occasion de se baigner dans le lac Saint-Jean, on sait que, en maints endroits, on s'avance très loin sans que l'eau atteigne la taille. Souvent, même après avoir traversé à pied des eaux profondes de un à deux mètres, on sent le fond se relever progressivement. Ce sont là les deux caractéristiques principales du lac Saint-Jean :

l'absence de grandes profondeurs et son fond presque plat. En moyenne, la profondeur du lac est de 11,3 mètres. Près de 25 % de son étendue est inférieure à trois mètres et 40 % reste sous les six mètres de fond. C'est dans une fosse localisée au sud-ouest, au large de Desbiens, qu'on trouve le point le plus profond du lac, avec 68,1 mètres.

Les baigneurs savent aussi que l'eau du lac parvient à se réchauffer suffisamment, en été, pour devenir agréable. La température des eaux de surface peut même atteindre 20 °C. En novembre, par contre, elle descend jusqu'à 4 °C.

Deux caractéristiques : l'absence de grandes profondeurs et son fond presque plat.

Le lac Saint-Jean abrite vingt-huit espèces de poissons dont, parmi les principales, le doré jaune, qui constitue l'espèce la plus abondante dans tout le pourtour du lac et qui est très apprécié des pêcheurs pour la finesse de sa chair. Le grand brochet et la perchaude prolifèrent principalement en eau peu profonde alors que la lotte, une mal-aimée, n'est pêchée qu'en hiver, moment où elle se rapproche de la rive. L'éperlan, que l'on confond souvent avec le capelan, est un petit poisson fin et argenté qui se déplace en banc. La barbotte brune représente un cas particulier parce qu'elle a été introduite par l'humain, qu'elle prolifère rapidement et sans prédateur, jusqu'à représenter une certaine menace pour l'équilibre écologique du lac Saint-Jean.

Vestiges de l'époque postglaciaire, la ouananiche, de même que l'éperlan arc-en-ciel, le poulamon atlantique et l'épinoche sont des poissons que l'on s'attend à trouver normalement en eau salée, mais qui vivent ici en eau douce après avoir été isolés au recul de la mer de Laflamme, il y a 8 500 ans.

Une mer intérieure qui se
prête magnifiquement à
la voile.

La ouananiche, reine du lac

L'EMBLÈME ANIMALIER RÉGIONAL

Au Saguenay–Lac-Saint-Jean, et plus particulièrement au Lac-Saint-Jean, la ouananiche est un emblème et un objet de fierté. Ce saumon d'eau douce appartient à la même famille que le saumon anadrome, l'omble, la truite et le corégone : les salmonidés. De même que le saumon anadrome naît dans une rivière, part en mer à l'âge adulte et revient frayer dans sa rivière natale, la ouananiche reproduit un cycle semblable en voyant le jour en rivière, dans un environnement de gravier où les œufs ont été déposés l'automne précédent. Le tacon passe ensuite quelques années dans des rapides avant d'atteindre le stade de saumoneau et de migrer vers le lac, en eau douce. Deux à quatre ans plus tard, guidées par leur prodigieuse faculté de s'imprégner de l'odeur de leur rivière d'origine, les ouananiches reviennent dans le cours d'eau où elles sont nées, pour frayer et ainsi assurer l'existence de leur espèce.

Pourtant, la pêche sportive est presque venue à bout de la ouananiche. Attraction touristique par excellence dès 1887, la pêche à la ouananiche est pratiquée de façon intensive et excessive durant des décennies. Progressivement, les prises deviennent moins grosses, moins nombreuses et puis car-

rément rares et petites. En 1986, une politique restrictive de gestion de la pêche est mise en application, parallèlement à un important programme d'ensemencement. Les efforts de « gestion de la ressource » commencent maintenant à porter des fruits.

« [...] il y a une étendue
considérable de terres propres à être cultivées [...] »
Jean-Baptiste Taché, 1821

LE DÉCOUVREUR

Jean Dequen

Il y a plus de 350 ans, le vénérable père Jean Dequen « découvre » le Piekuakamiulnutsh en compagnie de ses deux guides montagnais. À ce moment historique, ce « lac si grand qu'à peine en voit-on les rives » devient le lac Saint-Jean. « Il semble être d'une figure ronde, il est profond et fort poissonneux », constate le jésuite. « Il est environné d'un plat pays, terminé par de hautes montagnes éloignées de trois ou quatre ou cinq lieuës de ses rives ; il se nourrit des eaux d'une quinzaine de rivières ou environ, qui servent de chemin aux petites nations qui sont dans les terres pour venir pescher dans ce lac, et pour entretenir le commerce et l'amitié qu'elles ont par entr'elles. » Cet endroit hautement stratégique, à l'embouchure de la rivière Métabetchouan, entre le fleuve Saint-Laurent et la baie d'Hudson, est connu et fréquenté depuis fort longtemps par les autochtones qui en ont fait un lieu de ralliement pour les nations du Nord et celles du Sud.

Par la suite, des bâtisseurs courageux, à la suite de l'abbé Nicolas de Tolentin Hébert, déboisent la terre avec un acharnement et un courage indescriptibles, dans des conditions qu'on a peine à imaginer. On leur laisse miroiter les promesses les plus enivrantes, les rêves de prospérité les plus grandioses.

« Dans cet espace de terrain, [...] il y a une étendue considérable de terres propres à être cultivées, et particulièrement celles qui entourent le lac Saint-Jean. [...] Le susdit domaine fournit une très grande quantité de beau Pin de différentes espèces, et particulièrement du Pin rouge, et je considère cette partie du Domaine de Sa Majesté être une des portions de l'Amérique du Nord la plus riche sous le rapport du Commerce du Bois et de l'Agriculture, si elle était mise en valeur. » C'est ce que déclare bien haut Jean-Baptiste Taché, député à la Chambre d'Assemblée du Bas-Canada en 1821. Bien d'autres rêveurs, religieux et promoteurs de la colonisation contribuent à créer une ruée vers les terres du Lac-Saint-Jean, le nouveau « grenier » du Québec. Une fois qu'ils sont sur les lieux, cette fièvre s'estompe lamentablement et se transforme souvent en découragement profond.

« Ils n'avaient pas prévu les mouches noires, ni compris tout à fait ce que serait le froid de l'hiver, ni soupçonné les mille duretés d'une terre impitoyable », écrit Louis Hémon dans *Maria Chapdelaine* à propos de ces colons, souvent étrangers ou citadins sans expérience.

Aujourd'hui, une population fière et ingénieuse est peut-être parvenue à transformer les « bûchés » et les « brûlés » en cette espèce de jardin d'Éden que laissent entrevoir les prédicateurs d'autrefois. En se promenant dans l'arrière-pays de Saint-Prime ou de Normandin et en admirant ces vastes plaines agricoles d'une richesse évidente, on pourrait s'y tromper. En contemplant les extraordinaires troupeaux laitiers, dont certains figurent parmi les meilleurs du monde, on pourrait s'y tromper. En suivant les bonnes idées alors qu'elles se transforment en entreprises et en industries, on pourrait s'y tromper. En regardant le soleil plonger derrière les Laurentides et tracer une large saignée éblouissante sur les eaux du lac, on ne s'y trompe pas. Il y a bien un petit morceau de paradis qui s'est fixé ici.

Les champs d'orge de Saint-Bruno caressés par les vents.

UN LAC ET UN RÉSERVOIR

« La tragédie du lac Saint-Jean »

On a peine à s'imaginer, aujourd'hui, ce que devait être le lac Saint-Jean durant la préhistoire, au moment où les autochtones y circulent, lorsque Jean Dequen y parvient ou, même, lorsque les premiers colons s'y installent.

C'est en 1926 que se produit ce qu'on appelle « la tragédie du lac Saint-Jean ». Après la construction des barrages de la Grande Décharge et de la Petite Décharge ainsi que de la centrale hydroélectrique d'Isle-Maligne, le lac qui s'écoulait librement devient un réservoir. Sans aucun souci des riverains, on élève le niveau du lac de près de trois mètres, inondant sans retour les terres durement gagnées sur la forêt, bouleversant la vie des Jeannois et affectant plusieurs villages. De plus, la modification radicale des conditions hydrologiques

L'aménagement de brise-lames fait partie d'un programme de stabilisation.

perturbe profondément l'écologie du lac Saint-Jean en provoquant un grave problème d'érosion auquel on doit s'attaquer, en 1986, par un important programme de stabilisation des berges. C'est ce qui explique l'empierrement massif de plusieurs kilomètres de plage ainsi que la construction d'épis rocheux agissant comme brise-lames.

La décharge du lac Saint-Jean vers la rivière Saguenay.

PARTIRONT... ?

Partiront pas... ?

Traversée à vélo sur les
glaces du lac Saint-Jean.

Chaque printemps ravive une tradition singulière tout autour du lac Saint-Jean. Dans les médias comme dans la rue, il est un sujet de conversation qui court sur toutes les lèvres et qui devient l'objet de paris fiévreux, de discussions enflammées et de théories étonnantes. À quelle date ? À quel moment précis les glaces partiront-elles ? Quand est-ce que le lac va « caler » ?

Le lac Saint-Jean cède habituellement à l'emprise des glaces vers la fin de décembre. Une couche de glace compacte, pouvant atteindre jusqu'à 1,2 mètre d'épaisseur, se forme alors sur toute sa surface. Elle s'y maintient solidement jusqu'en mai alors que, sous l'effet conjugué de la chaleur, du soleil et des vents, elle s'amincit, se morcelle et disparaît peu à peu. Habituellement, durant la deuxième et la troisième semaine de mai, on s'active à essayer de deviner à

quel moment, quel jour et quelle heure, le lac sera officiellement déclaré « calé », selon l'expression populaire. Pendant que les spécialistes effectuent des survols, les « chouenneux » prennent les paris. Le couvert de glace se défait toujours par le sud, à l'embouchure des rivières. Les vents du nord-ouest poussent lentement la banquise vers Alma. Dès que le vent tourne à l'est en se conjuguant avec la pluie ou le soleil, la nappe devient un gigantesque casse-tête où l'eau prend de plus en plus de place. Ce n'est que lorsque 70 % de la surface du lac est libérée de ses glaces que la débâcle est officiellement confirmée. La température se réchauffe alors rapidement et les beaux jours ne sont jamais loin.

Les crues les plus hâtives sont survenues les 28 mars 1953 et 1976 ; la plus tardive, le 4 mai 1947.

LES INFLUENCES CLIMATIQUES

Un lac qui bat la mesure

La tempête se lève dans le secteur Métabetchouan.

L'influence climatique d'une masse d'eau aussi considérable que le lac Saint-Jean se fait sentir sur toute la région du Lac-Saint-Jean et sur une partie du Saguenay.

Étirant les saisons, le lac agit en tant que source d'humidité et régulateur de température, principalement en raison de sa taille et des vents d'ouest dominants. L'eau froide maintient la fraîcheur printanière plus longtemps alors que, puisque l'eau est bien réchauffée en fin de saison, la chaleur persiste quelques semaines de plus en automne, retardant même l'apparition des premières neiges.

Protégée dans son enclave au creux du massif des Laurentides, la région du Lac-Saint-Jean profite d'un climat comparable à celui de la région de Québec, pourtant située à 200 km plus au sud. On y dénote une saison de croissance qui s'étend sur environ 170 jours.

Le lac Saint-Jean étire les saisons.

L'hiver amène 12 % des apports d'eau annuels, le
printemps 48 %, l'été et l'automne 40 %.

LES MILIEUX HUMIDES

Marais et tourbières

Certains milieux humides, marais et tourbières, jouent maintenant un rôle essentiel à la santé écologique du lac. Une soixantaine de sites de cette nature (12 000 hectares) abritent une flore diversifiée et abondante, bien adaptée au milieu marécageux qui constitue une zone de transition entre les écosystèmes terrestre et aquatique. On y observe également une densité faunique peu commune dont une grande variété d'oiseaux, d'amphibiens, de poissons, d'insectes et de mammifères.

Plusieurs de ces milieux exceptionnellement productifs sont officiellement protégés alors que les autres exigent une attention soutenue puisqu'il s'agit d'un maillon essentiel au grand chaînon de la vie autour du lac.

Le petit marais de Saint-Gédéon représente le meilleur exemple d'un milieu humide sur les berges du lac, à cause de la richesse fabuleuse de sa faune et de sa flore ainsi que de ses caractéristiques physiques.

On le trouve à l'est du lac, entre le village de Saint-Gédéon et une des plages les plus fréquentées de la région. Il est résolument protégé des fluctuations de niveau d'eau ainsi que de l'érosion par un large cordon littoral de sable qui permet les mouvements d'eau par un seuil dont le rôle est de prévenir le dessèchement du marais lorsque le niveau du lac est abaissé.

C'est un véritable enchantement pour les ornithologues amateurs qui viennent du

monde entier dans l'espoir d'observer ici certaines espèces rares, dont le foulque d'Amérique, la guifette noire et le râle de Virginie.

Le petit marais de Saint-Gédéon abrite aussi 83 espèces nicheuses sur les 203 répertoriées ; de ce nombre, plusieurs oiseaux aquatiques et représentants de la famille des passereaux. Des milliers d'oiseaux migrateurs, bernaches du Canada, canards, hirondelles, s'y arrêtent chaque année. Parmi les barboteurs, on aperçoit le canard souchet, le canard Chipeau, le canard branchu, le canard roux et maints autres.

Le marais de Métabetchouan.

LES ÎLES DU LAC

Des jardins sur l'eau

Certaines des 250 îles qui émergent du lac Saint-Jean.

De toutes les formes, de toutes les dimensions, de toutes les natures, les 250 îles du lac Saint-Jean ont parfois la taille d'une grosse pierre qui émerge à peine et sur laquelle on ne trouve que quelques cèdres ou quelques pins qui s'accrochent au roc et qui font un peu d'ombre aux nids d'oiseaux. Ailleurs, on les sait mouvantes et changeantes, dans les deltas sablonneux qui les sculptent à leur courant et à leur niveau. Les grandes îles, celle de la Traverse, celle aux Lièvres, celles des décharges ou de Saint-Gédéon, sont bien ancrées sur leurs assises rocheuses de schistes argileux ou d'anorthosite. Elles abritent parfois un jardin de plantes, témoin de la végétation qui occupait les berges après la dernière glaciation. Certaines sont toujours habitées par des villégiateurs privilégiés. Toutes font les belles heures des kayakistes, canoteurs, plaisanciers et des touristes en croisière puisque, en plus d'être des repères fiables, elles font voguer l'imaginaire de rêves en légendes et elles égaient le paysage en y ajoutant un heureux relief.

Observation des îles de la Grande-Décharge à partir du bateau de croisière *La Tournée*.

Des kayakistes profitent des charmes d'une île du lac.

L'INCONTOURNABLE BLEUET...

Un symbole, une industrie

Peut-on parler du Lac-Saint-Jean sans parler du bleuet ? Impensable ! Impossible ! Personne n'a osé ou n'a pu le faire jusqu'à maintenant tellement ce petit fruit succulent est intimement associé à l'histoire, à la vie, aux traditions et, maintenant, à l'économie de la région.

Même s'ils connaissent la myrtille européenne, les jésuites qui explorent le territoire de la Nouvelle-France, à l'époque de la colonie, sont captivés par le fruit lui-même, dont certains éléments de leurs descriptions sont étonnants, autant que par ses propriétés, réelles ou imaginaires. Le père François-Xavier de Charlevoix est du nombre en 1744 : « Ces fruits sont ronds, faits en forme de nombril, verts d'abord & noirs quand ils ont acquis leur maturité, plein d'un suc noir, doux et d'assez bon goût. Il renferme des petits grains comme ceux des raisins. La racine est longue, grasse, souple et ligneuse. Ce fruit est mur au mois de juin. Il est rafraîchissant au second degré, astringent et peu désiccatif ; mangé cru ou cuit, avec du sucre ou sans sucre, il est bon contre les fièvres chaudes et bilieuses, contre la chaleur d'estomac, contre l'inflammation du foye et des autres parties intérieures ; il resserre le ventre et ôte l'envie de vomir. »

Bien avant que les Blancs ne succombent au bleuet, les autochtones l'appréciaient déjà grandement et en faisaient de nombreux usages curatifs et culinaires, ce qu'a pu constater le père Gabriel Sagard : « Les sauvages en font seicherie pour l'hiver [...] et elle leur sert de confiture pour les malades, et pour donner goust à leur Sagamité et aussi pour mettre dans les petits pains qu'ils font cuire dans la cendre. Et même le nirvana indien doit avoir un peu les couleurs et la saveur du bleuet selon le père Lejeune : « Pour ce qui est de leur créance, quelques uns se figurent un paradis rempli de bleuets. »

À l'ère de la colonisation, le bleuet constitue un aliment et un revenu d'appoint précieux pour les pionniers du Lac-Saint-Jean, d'autant plus que les nombreux incendies qui ont sévi sur tout le territoire, surtout le « Grand Feu » du printemps 1870 qui s'étendit de Saint-Félicien jusqu'à Grande-Baie, contribuent à favoriser sa présence. En effet, le bleuet apparaît en abondance au lendemain des

incendies de forêt. Cueilli artisanalement à l'époque, le fruit est vendu aux citadins qui en viennent à appeler leurs fournisseurs les « Bleuets du Lac-Saint-Jean ».

La transformation industrielle ne débute qu'en 1923 avec l'implantation d'une usine de mise en conserve par les trappistes de Mistassini, même si la culture et l'exportation du bleuet sont déjà structurées. Avant 1925, quatre grands acheteurs se répartissent le marché et exportent annuellement plus de 50 wagons de bleuets. Vers 1946, la récolte des bleuets apporte aux familles jeannoises un revenu supplémentaire pouvant atteindre 2 000 $ par saison, ce qui est fort appréciable. Les bleuetières, et donc la culture méthodique du

bleuet, n'apparaissent cependant qu'un peu plus tard, lorsque la première usine de congélation est construite à Saint-Bruno, en 1966.

À partir de 1974, des recherches scientifiques sur la culture en bleuetière et sous couvert forestier sont menées, ce qui engendre une augmentation de 150 % de la production entre 1980 et 1990. En général, le Lac-Saint-Jean fournit 66 % de la production québécoise totale. Trois à trois millions et demi de kilos (sept à huit millions de livres) sont exportés en Europe et en Asie. Deux à deux millions et demi de kilos (cinq à six millions de livres) vont au marché américain, alors qu'une quantité similaire est consommée localement et au pays.

Le Festival du Bleuet de Mistassini.

MASHTEUIATSH

« *La terre montagnaise* »

Le royaume du Saguenay est, à l'origine, un territoire peuplé exclusivement par les autochtones. La nature du peuplement aborigène au Saguenay–Lac-Saint-Jean reste toutefois extrêmement difficile à établir avec exactitude puisque plusieurs nations nomades, Papinachois, Chicoutimiens, Piekouagamiens, Kakouchaks, se partagent cette étendue alors que d'autres tribus, loin de leur milieu de vie traditionnel, y font des incursions régulières. L'arrivée des Européens bouleverse naturellement la démographie, l'économie et le mode de vie autochtone. Épidémies, guerres fratricides, sédentarisation, commerce et mixité raciale provoquent l'apparition d'une nation multiethnique que les Blancs avaient déjà nommée « Montagnaise » en désignant tous les Amérindiens de l'intérieur de la Traite de Tadoussac. On y rencontre maintenant des membres de toute la grande famille algonquienne : Abénakis, Cris, Attikameks, Naskapis, Malécites, Micmacs et Algonquins.

Actuellement, la nation montagnaise compte neuf villages au Québec, dont sept sont situés sur la côte nord du Saint-Laurent, d'Essipit (Les Escoumins) à Pakuashipi (Basse-Côte-Nord). Deux groupes sont installés à l'intérieur des terres, à Matimekosh, près de Schefferville, et Mashteuiatsh (Pointe-Bleue) sur la rive ouest du lac Saint-Jean.

Le lac Saint-Jean et ses tributaires ont représenté, pendant des temps immémoriaux, des routes d'eau très achalandées, de même qu'un secteur de campement estival, de rassemblement, de commerce et de festivités. La pointe de Mashteuiatsh, mais aussi l'embouchure des rivières Métabetchouan ou Mistassini, la source de l'Ashuapmushuan, les hauteurs de la Péribonca ou les rives de la Grande Décharge ont accueilli des milliers de voyageurs en canot d'écorce, dont l'histoire demeure imprécise mais dont les traces archéologiques portent encore le souvenir. Le clan, constitué de la famille élargie, part alors chaque automne en direction de son territoire de chasse délimité par les cours d'eau qui l'entourent. Il n'en revient qu'au printemps, avec des embarcations chargées de fourrures et des produits de la chasse ou de la forêt.

La notion de sédentarité s'implante progressivement, les Montagnais se regroupent principalement autour des postes de traite, dont ceux de Métabetchouan, Péribonka et d'autres de moindre importance. En 1856, ils concèdent une partie importante de leur territoire contre une pointe sablonneuse qui glisse dans le lac Saint-Jean. Mashteuiatsh

(Pointe-Bleue) se développe ensuite considérablement jusqu'à devenir la réserve actuelle, aux abords de Roberval, qui abrite près de 2 000 résidants dont 50 % de jeunes de moins de vingt-cinq ans. Du moment où la Compagnie de la baie d'Hudson ouvre un comptoir de traite en 1867, le négoce de la fourrure est au cœur de l'activité économique locale. D'ailleurs, certaines grandes familles continuent encore d'entretenir cette tradition.

Le pays de l'Ashuapmushuan.

Mashteuiatsh, foyer de la comunauté montagnaise du Lac-Saint-Jean.

À l'heure actuelle, Mashteuiatsh peut être décrite comme l'une des communautés autochtones les plus dynamiques et les plus prospères au Québec. Puisant à la fois dans la coutume et dans la modernité, Mashteuiatsh s'est donné de solides institutions politiques, culturelles et d'éducation ; des moyens de communication et de transmission de la langue montagnaise ; des entreprises commerciales et des industries touristiques, de transport, de production hydroélectrique. Parallèlement, le mode de vie traditionnel est préservé et encouragé sur les vastes territoires de chasse octroyés aux familles dans la réserve faunique Ashuapmushuan et le long de la rivière Péribonca.

Le lac Ashuapmushuan se trouvant à la rencontre de deux autres cours d'eau importants, les rivières Normandin et Marquette, il s'impose comme un lieu des plus stratégiques et une étape importante de la Route des fourrures, tant pour les autochtones que pour les Blancs. C'est pourquoi on relève la présence de campements traditionnels montagnais, cris et attikameks non loin de la décharge du lac, à la naissance de la rivière.

Cela nous permet également de comprendre pourquoi ce site est devenu l'un des hauts lieux de la traite des fourrures puisque des comptoirs y ont été établis à partir de 1685 jusqu'au milieu du XIXe siècle. Les traces du dernier poste de la Compagnie de la baie d'Hudson, de fondations, de cheminées et de fortifications, sont d'ailleurs encore distinctes. Tout près des ruines du poste, on remarque les vestiges d'un ancien cimetière montagnais où le sol s'est enfoncé sur chaque sépulture. Difficile de trouver un lieu plus mystérieux ou à l'ambiance plus dramatique.

Quant au nom Mashteuiatsh, si vous interrogez les Montagnais sur sa signification, vous risquez d'obtenir autant de versions que vous aurez d'interlocuteurs. Gérard Siméon, un merveilleux artiste qui transforme l'écorce de bouleau en objet d'art, vous racontera l'histoire d'un castor chassé par un père et son fils ; d'un appel lancé par le père à son fils et qui, dans la confusion du bruit des vagues, se transforme en « Mashteuiatsh ». D'autres vous diront « lac d'huile » au sens de lac calme. Certains parleront de la « terre humaine » ou de la « terre des hommes ». Pour les ethnologues, Mashteuiatsh signifie plutôt « là où il y a une pointe » ou se dit comme d'un rendez-vous que l'on lance : « on se revoit à la pointe ! »

Georges Bégin

LE FILS DE LA RIVIÈRE

Georges Bégin, un fier Monta-gnais, a vu le jour sur cette pointe de terre qui s'avance juste à la division du lac Ashuapmushuan et de la rivière. Il s'enorgueillit de ce privilège qu'il a eu de naître puis de grandir sur ce petit morceau de planète qui a vu passer et s'arrêter tant de ses ancêtres. Choisie pour sa localisation avantageuse, cette avancée rocailleuse lui a procuré un confort dont il n'aurait bénéficié nulle part ailleurs en forêt. Les vents constants repoussent les insectes et apportent de la fraîcheur. Le point de vue, par son amplitude, permet d'identifier tous ceux qui viennent et vont. Les eaux giboyeuses donnent plus de poisson qu'il n'en faut et les orignaux viennent souvent rôder sur les berges herbeuses. Lui, Ilnu, se revoit courir sur les rochers, parler au castor en croyant faire partie de l'unique peuple de la terre. Du moins jusqu'à ce qu'un arpenteur blanc apparaisse sur l'autre rive, devant la pointe. Il venait pour tracer la route devant relier Chibougamau au Lac-Saint-Jean. Cette route ne passera jamais par là mais le train, lui, ne tarde pas. À l'instant où l'on construit un pont de fer et un chemin de fer à quelques mètres

de son campement, le monde moderne vient de l'atteindre.

Les étés se passent encore au campement traditionnel du lac Ashuapmushuan pour Georges Bégin. Il y accueille les visiteurs qui explorent « Le Pays de l'Ashuapmushuan » et qui s'arrêtent à leur tour sur la pointe, pour l'écouter raconter ses histoires fantastiques et goûter son brochet fumé absolument délectable. Il ne lui faut rien de plus pour accéder au bonheur.

LE SAGUENAY

« C'était le pays des légendes merveilleuses et des contes effrayants ;

tous les géants fabuleux devaient s'y donner rendez-vous dans des antres profonds ;

et, quant à la rivière en elle-même, elle était absolument innavigable [...]

enfin, l'imagination populaire [...] avait fait de la région saguenayenne,

non seulement une région inhabitable, mais encore à peu près inaccessible. »

Arthur Buies

À LA FOIS RIVIÈRE ET FJORD

Le Saguenay

Ville d'Alma, à l'amorce de la rivière.

P. 88 :
Le fjord du Saguenay dans toute sa majesté

Le Saguenay est un affluent de la rive gauche du Saint-Laurent. Son embouchure est située à près de 200 km au nord-est de la ville de Québec. Long de 160 km, il prend sa source dans la Grande et la Petite Décharge du lac Saint-Jean. Son bassin couvre 88 000 km² et son débit moyen est de 1 760 m³/s. La section « rivière » du Saguenay, soit d'Alma à Saint-Fulgence, est en grande partie contenue dans un long réservoir hydroélectrique qui prend sa source dans un autre réservoir, le lac Saint-Jean, et qui s'étend des décharges du lac jusqu'au barrage Shipshaw.

Autrefois, cette distance n'était pas navigable à cause de son dénivelé prononcé et de la succession de rapides qu'on y rencontrait. Toutes les embarcations, du canot au bateau vapeur ou aux goélettes marchandes, s'arrêtent alors à Chicoutimi qui marque la fin des eaux profondes accessibles à la navigation, bien qu'il faille y entretenir un chenal à partir du moment où des bateaux de plus fort tonnage viennent au bassin et au quai de la ville. Reliquat de cette période, on observe à marée basse les seuls rapides encore présents sur toute la longueur du Saguenay, bien que plutôt timides, entre le pont d'Aluminium de Jonquière et le pont Dubuc de Chicoutimi. En soumettant la rivière de la sorte, on en a fait un lac rectiligne dont le niveau fluctue régulièrement selon les besoins en électricité des grandes entreprises. Rien n'empêche que l'on puisse admirer dans cette partie de la rivière des panoramas tout en douceur et en beauté, au relief montagneux finement ciselé qui annonce les débordements accidentés du fjord, mais qui demeure franchement bucolique, en particulier sur les berges de Saint-Charles-de-Bourget, petit village pittoresque au possible, et Jonquière-Nord, une extension de la ville de Jonquière sur la rive sud.

Plus loin, la vallée glaciaire dans laquelle coule la rivière Saguenay possède les caractéristiques d'un fjord, de Saint-Fulgence, à partir d'un phénomène naturel que l'on appelle « la flèche du littoral », jusqu'à Tadoussac, bien qu'il ne soit pas situé sous de hautes latitudes, comme la grande majorité des fjords qu'on retrouve en Scandinavie, en Amérique du Nord et du Sud, en Nouvelle-

Zélande, en Arctique, en Islande et en Écosse. En cela, il constitue une rareté que l'on a crue longtemps unique, mais qui ne le serait pas puisqu'on a observé certains autres cas d'exception. Il existe effectivement quelques fjords de moindre dimension au Labrador et à Terre-Neuve et un dans le Maine, sur l'île Mount Desert.. Cela n'empêche pas la position géographique méridionale du fjord du Saguenay ainsi que ses dimensions extraordinaires de s'imposer comme ses grandes caractéristiques distinctives.

Un fjord, puisque nous ne pouvons échapper à une définition scientifique, c'est, selon Parent (1990), une « indentation profonde et étroite du littoral marin, bordée de falaises élevées, et résultant de l'envahissement par la mer d'une vallée en auge d'origine glaciaire ». Pour varier, Foucault et Raoult (1988) définissent le mot norvégien fjord de la façon suivante : « Golfe marin, étroit et allongé, aux parois abruptes, qui résulte de l'envahissement par la mer d'une vallée en auge creusée par un glacier. » Aux fins d'épater la galerie lors des cocktails, nous retiendrons une définition simple et facile à mémoriser : « Un fjord est une vallée glaciaire envahie par la mer. » Voilà !

La flèche du littoral à la naissance du fjord, Saint-Fulgence.

Mais tout n'est pas si simple. Avant d'être officiellement reconnu dans le club très sélect des fjords du monde, il faut répondre à des critères précis :

La forme : L'existence d'un fjord est liée à la présence d'une vallée qui a subi le passage d'un ou de plusieurs glaciers qui l'ont creusée en lui donnant la forme d'une auge glaciaire, soit une vallée en U, avec des parois rocheuses abruptes et imposantes.

Le surcreusement : Le phénomène d'excavation de la vallée par le glacier.

Le contact avec la mer : Les fjords communiquent avec la mer à une extrémité et reçoivent un apport d'eau douce à l'autre, ce qui suscite un mélange des eaux marines et douces.

La présence d'un seuil rocheux à l'embouchure : Les fjords ont généralement un seuil rocheux à leur embouchure ou un verrou glaciaire transversal formé de roches plus résistantes et de résidus de moraine que le glacier a poussés devant lui. Le seuil rocheux du Saguenay s'avance jusqu'à 4 km en avant de l'embouchure et est précédé

d'une fosse de 230 m un peu en amont de Tadoussac.

La stratification des eaux : Les fjords se caractérisent par la présence d'une très forte stratification des eaux. Il se produit, près de la surface, un changement rapide de la salinité, de la température et de la densité des eaux avec l'accroissement de la profondeur, ce qui engendre une couche appelée « thermo-halocline » qui résulte de la superposition d'eau douce et relativement chaude qui provient du bassin versant sur la masse d'eau salée et froide du dessous.

Ces eaux froides et salées, qui proviennent de l'estuaire et du golfe du Saint-Laurent, pénètrent en deçà du verrou pour se déposer dans les profondeurs du fjord. Cet apport marin favorise la présence d'une faune aquatique rare d'affinité arctique, probablement une relique de l'ère d'occupation plus étendue de la mer de Goldthwait.

En été la nappe superficielle atteint, en surface, des températures variant entre 16 et 18 °C. Cette couche a une épaisseur d'environ 10 m. À sa base, la thermo-halocline est une couche intermédiaire dont l'épaisseur

moyenne est d'environ 13 m et où la température chute à environ 1 °C. Sous cette dernière, à une profondeur d'une vingtaine de mètres, se situe la nappe profonde, jusqu'au lit du fjord, dont la température oscille entre 0,4 et 1,7 °C.

Sans entrer dans des explications complexes, il est quand même utile et, surtout, étonnant d'apprendre que la masse d'eau marine qui entre dans le Saguenay par son embouchure circule de l'aval vers l'amont, donc en sens contraire du courant d'écoulement des eaux douces de surface. Moins dense et moins lourde, l'eau douce qui provient du lac Saint-Jean et des affluents du Saguenay glisse littéralement sur l'eau salée en coulant vers le Saint-Laurent.

Les fjords ont aussi quelques autres particularités générales, que l'on rencontre dans le fjord du Saguenay, et qui nous permettent de mieux comprendre ou, dans certains cas, de mieux visualiser quelques aspects de leur évolution : la présence de vallées suspendues et d'une bathymétrie contrastée.

UNE PROFONDEUR VERTIGINEUSE

L'abysse

Le fjord coule dans une faille de plus de 2 000 mètres de profondeur.

Les résultats d'études récentes ont mis au jour des données renversantes sur la profondeur réelle du fjord. Elles nous apprennent en effet que l'accumulation de sédiments sur le fond du Saguenay peut atteindre plus de 1 400 m à certains endroits, soit presque cinq fois plus que la profondeur maximale actuelle du Saguenay.

Ainsi, entre Saint-Fulgence et la baie Sainte-Marguerite, on observe une épaisseur d'accumulation de 400 m, avec certaines zones où on note une épaisseur de 600 à 800 m de sédiments. Passé la baie Sainte-Marguerite, les chercheurs ont détecté des couches de sédiments quaternaires d'une épaisseur allant de 1 000 à 1 400 m, situés de part et d'autre de l'Anse-de-Roche. Cela signifie, par conséquent, que la profondeur réelle du fjord du Saguenay dépasse 2 000 m, si l'on prend en considération le relief présent au-dessus du niveau de la mer. Imaginez l'abysse que nous aurions sous les yeux si, du haut du cap Sainte-Marguerite, nous pouvions contempler le fjord vide de ses eaux et des sédiments que les glaciers, les glissements de terrain et les crues printanières y ont laissés !

Saguenay

« Là où l'eau sort »

Il faut avoir le goût du risque et ne pas craindre la confusion pour se lancer dans l'explication du nom « Saguenay », comme dans celle de n'importe quel terme de souche amérindienne. Au départ, Saguenay désigne le territoire « d'où sort l'eau » et non pas la rivière. Il est formé de deux éléments, en langue montagnaise ou huron-iroquoise, soit Saga et Nipi dont l'association signifie « d'où l'eau sort ». Une autre hypothèse veut que Saguenay provienne du mot montagnais Sakini qui veut dire « là où l'eau sort ». Ne retenons que ces deux façons de voir pour l'occasion.

Quant à la graphie du mot Saguenay, il est intéressant de noter que c'est sans doute à cause de l'insistance de Jacques Cartier à l'écrire de la sorte que cette orthographe est demeurée telle quelle. En effet, Cartier répète «Saguenay », toujours écrit de la même façon, 19 fois dans sa **Narration** de 1535-1536 et deux autres fois dans celle de 1541-1542. Cette constance a été plus forte que tous les autres dérivés.

Quant au genre masculin, le Saguenay l'a toujours conservé après que Samuel de Champlain l'eut utilisé pour la première fois en 1603 en écrivant sous deux formes « rivière du Saguenay » et « le Saguenay, qui est une belle rivière ».

Un territoire changeant

Le royaume du Nouveau Monde

Le royaume du Saguenay, tel que les Iroquois de la vallée du Saint-Laurent le décrivent à Jacques Cartier lors de son deuxième voyage, en 1535, englobe un territoire immense que le capitaine malouin tente de délimiter « [...] à deulx journées dudict cap et ysle [Anticosti] commençoyt le royaume de Saguenay, à la terre devers le nort, allant vers ledict Canada ». Il s'agit là de la toute première mention du Saguenay dans l'histoire et il est intéressant de noter que le Saguenay est la seule région de la Nouvelle-France qualifiée de « royaume » par Jacques Cartier.

Ce royaume devait receler des richesses fabuleuses qui en ont fait fantasmer plus d'un à l'époque. « Il (Donnacona) a certifié avoir été à la terre du Saguenay, où il y a infini or, rubis et autres richesses, et où les hommes sont blancs, comme en France, et accoutrés de draps de laine », écrit Cartier qui a justement comme mandat de débusquer des ressources qui puissent contribuer à soutenir financièrement le roi de France, François Ier, dans ses conflits contre l'Espagne.

D'ailleurs, Sa Majesté était persuadée d'avoir enfin fait main basse sur son Eldorado, sur son Pérou, comme le rapporte l'espion portugais João Fernando Lagarto à qui le roi confia : « [...] il y a une grande ville nommée Sagana où se trouve grande quantité de mines d'or et d'argent. Les habitants sont vêtus et chaussés comme nous [...] ». François Ier, vouant la confiance la plus totale aux propos de Donnacona, n'hésite pas à financer une autre expédition dirigée par Cartier, devenu capitaine et pilote général de la flotte, qui repart en octobre 1540 avec le mandat précis de rechercher le Saguenay.

Sur sa route, Cartier tombe sur « [...] des pierres comme diamans les plus beaux, polis et aussi merveilleusement taillés qu'il soit possible à l'homme de voir [...] ». Sur une de ses cartes il griffonne : « [...] c'est ici où est la Terre du Saguenay ; laquelle est riche et abonde en pierres précieuses ». Il trouve aussi en abondance ce qu'il croit fermement être de l'or. Perdant ses moyens, Cartier se sauve du reste de la flotte, avec son bateau et son équipage, sans aviser qui que ce soit, pour rentrer subrepticement en France avec onze barriques de minerai d'or, sept de minerai d'argent et sept quintaux de pierres précieuses selon certains. Si vraiment le ridicule tuait, il aurait été foudroyé peu après, alors que son or de pacotille s'avère n'être que de la pyrite de fer. Quant aux diamants, ils enrichissent la langue française d'une nouvelle expression toujours en usage : « faux comme un diamant du Canada ».

Le Saguenay, la route qui conduit aux richesses du royaume.

L'Anse-Saint-Étienne, sur le territoire de la municipalité de Petit-Saguenay.

Dans le « pays » du Saguenay évolue un groupe de tribus dispersées dans les limites de la vaste région circonscrite entre le fjord, les Grands Lacs et le nord du fleuve Saint-Laurent. Tout cet espace géographique tient son nom de la rivière Saguenay dont le toponyme, selon l'historien Mgr Victor Tremblay, constitue « le plus ancien et le plus authentique de la toponymie canadienne ».

Quand, à partir de 1652, les trafiquants de fourrure commencent à s'infiltrer sur ce territoire, le Saguenay fait alors partie du Domaine du Roi. Cette désignation officielle permet à la Couronne de percevoir une partie des profits réalisés grâce à la traite des fourrures afin de couvrir les dépenses administratives de la Nouvelle-France.

En préface de l'ouvrage de Russel Bouchard, *Le Saguenay des fourrures*, l'historien Marcel Trudel décrit l'importance du Saguenay dans le commerce qui allait justifier la présence de la France au Nouveau Monde : « On pense moins souvent au grand commerce qui a pourtant agité, pendant plus de deux siècles, la route d'eau du Saguenay. Cartier avait compris des Amérindiens qu'elle conduisait à un royaume fabuleusement riche. La Nouvelle-France n'en a pas reçu l'or qu'elle espérait, mais plutôt la fourrure... C'était bien le royaume du Saguenay dont on avait tant rêvé. » Le Domaine du Roi englobe alors toutes les terres comprises entre la Côte-Nord du Saint-Laurent, de Sept-Îles jusqu'à La Malbaie, à l'intérieur d'un grand demi-cercle borné par l'extrémité du bassin hydrographique du Saguenay–Lac-Saint-Jean.

En 1838, au moment où l'exploitation forestière et la colonisation agricole s'amorcent, le Saguenay change encore de frontières officieuses et se trouve délimité par les anciens comtés de Charlevoix et de Sept-Îles tout en allant, au nord, vers le Territoire de la Baie-James et la limite des terres habitables. Par contre, avec l'intensification du peuplement, le gouvernement du Bas-Canada crée le comté de Saguenay en 1853. Ce dernier regroupe les régions de Charlevoix, Tadoussac et Chicoutimi, qui comprend alors tout le Lac-Saint-Jean.

À partir de 1855, on assiste à une nouvelle redéfinition politique de la région alors que les autorités du Bas-Canada établissent le comté de Chicoutimi qui, plus tard, en 1890, est séparé du comté de Lac-Saint-Jean. La population du Lac-Saint-Jean continue toutefois à s'identifier fortement à la grande région « Saguenay », situation qui a naturellement changé depuis. Mais, à l'époque, on se dit du « Bas-Saguenay » lorsqu'on vit dans le secteur compris entre Tadoussac et Grande-

Baie, alors que l'on s'affiche comme étant du « Haut-Saguenay » quand on habite entre Chicoutimi et le nord du Lac-Saint-Jean. Ce n'est qu'avec la construction des barrages sur la Grande Décharge et la Petite Décharge que les politiciens commencent à se demander s'il ne serait pas pertinent de faire du Lac-Saint-Jean une entité régionale véritable. À la fin des années 50, le débat persiste encore. Il est ravivé par un écrit de Mgr Victor Tremblay qui parle du « Royaume du Saguenay » en désignant l'ensemble de la région. Cela déplaît vivement à certains Jeannois dont l'un, Georges Villeneuve, propose et défend le terme « Saguenay–Lac-Saint-Jean » qui est

refusé par le Comité de toponymie du Québec puisque, à leur jugement, la seconde partie de cette désignation est comprise dans la première... Les choses continuent ainsi jusqu'à ce que le consensus s'établisse en 1966, de guerre lasse, autour du toponyme Saguenay–Lac-Saint-Jean qui désigne aujourd'hui la grande région administrative. Après coup, l'Université du Québec à Chicoutimi arrive, en 1979, avec une nouvelle proposition formée de deux parties de mots amérindiens (SAGA, pour Saguenay, et MIE pour Piekouagami) : Sagamie. Ce bel effort connut un certain succès mais ne passa pas la rampe.

Située face à l'une des plus grandes profondeurs du fjord du Saguenay, la magistrale baie Éternité dénude, à marée basse, un large delta conique formé par l'accumulation des sédiments transportés et déposés par la rivière lorsqu'elle se heurte aux eaux du fjord.

L'OUVERTURE DU SAGUENAY
La colonisation

« Jusqu'en 1828, le Saguenay avait été considéré comme un pays sauvage, comme une contrée bonne tout au plus au commerce des pelleteries. Aussi, jusqu'à cette époque, personne n'avait cru que la colonisation y fut possible. C'était le pays des légendes merveilleuses et des contes effrayants ; tous les géants fabuleux devaient s'y donner rendez-vous dans des antres profonds ; et, quant à la rivière en elle-même, elle était absolument innavigable [...] enfin, l'imagination populaire [...] avait fait de la région saguenayenne, non seulement une région inhabitable, mais encore à peu près inaccessible. »

Arthur Buies

Ce n'est qu'en 1838 que cède l'emprise des grandes compagnies qui règnent alors sur le Domaine du Roi et que le Saguenay s'ouvre à la colonisation. Derrière cette prise de possession par un petit groupe d'hommes et de femmes de bonne volonté, manipulés par le magnat de l'industrie forestière, William Price, on distingue deux grands phénomènes.

D'abord, la population de Charlevoix commence à se sentir à l'étroit et manque de terres arables. Des pressions sont exercées auprès des gouvernements afin de disposer de nouvelles terres agricoles. Et on sait bien où il y en a...

Ensuite, l'Angleterre a un besoin pressant de bois d'œuvre. Selon son habitude, elle se tourne vers ses colonies, qui l'alimentent en matières premières, et, plus particulièrement, vers le Canada lorsqu'il s'agit de bois

servant à la construction navale. La présence de pins de grande taille, parfaits pour la fabrication de mâts de navire, comme l'avait déjà noté Jacques Cartier, a été déterminante pour l'ouverture du Saguenay à la colonisation. De cette date, le commerce des fourrures, qui connaît déjà un déclin marqué dans la zone d'influence de Tadoussac, est définitivement supplanté par l'exploitation forestière et l'agriculture. Le Saguenay est l'axe exclusif de cette pénétration et le Bas-Saguenay, la destination convoitée. Du moins jusqu'à ce que le Haut-Saguenay et le Lac-Saint-Jean deviennent le véritable objectif des pionniers en quête de terres et de forêts.

« C'était le pays des légendes merveilleuses et des contes effrayants [...] »

Arthur Buies

LA VIE DANS LE FJORD

Mer et rivière à la fois

Une présumée croissance
du troupeau laisse
entrevoir une lueur
d'espoir pour les bélugas
du Saint-Laurent.

Chaque nouvel inventaire accroît le nombre d'espèces vivantes présentes dans le fjord du Saguenay. Les derniers chiffres disponibles révèlent la présence de 410 espèces d'invertébrés marins dans le fjord. Une étude réalisée en 1994 a permis de découvrir 169 nouvelles espèces dans le fjord dont 15 n'avaient jamais été répertoriées dans l'estuaire ni dans le golfe du Saint-Laurent et dont 4 étaient tout à fait inconnues pour la science. On a aussi constaté que 22 % des espèces présentes dans le fjord sont d'affinité arctique alors que le Saint-Laurent n'en compte que 8 %. Dix-huit espèces arctiques exclusives au Saguenay seraient reliquales, ce qui signifie qu'elles constituent les vestiges d'un passé où leur distribution était beaucoup plus large qu'actuellement. On compte également 59 espèces de poissons réparties en 23 familles dans le fjord du Saguenay, comparativement à 74 pour l'estuaire du Saint-Laurent.

Échoueries de
phoques communs,
sur le Saguenay.

Au nombre des mammifères marins, le phoque commun est maintenant

L'enclave arctique

UN MYTHE ?

Précurseur scientifique en ce qui a trait à l'ensemble des recherches sur le fjord du Saguenay, Mgr Gérard Drainville, aujourd'hui évêque d'Amos, avait émis l'hypothèse, en 1970, que les eaux glaciales de la nappe profonde du fjord puissent constituer une enclave arctique au milieu d'une zone boréale. Une partie de Grand-Nord au centre d'une région tempérée. Il s'appuyait alors sur le fait que le fjord abrite plusieurs espèces animales dites d'affinité arctique. On croyait que ces espèces reliquales avaient été, en quelque sorte, emprisonnées dans le Saguenay après la baisse des océans qui suivit la dernière glaciation, et qu'elles y évoluaient en captivité, ne pouvant s'échapper par le verrou glaciaire.

Or, des recherches subséquentes ont démontré que certaines de ces espèces d'invertébrés d'affiliation arctique sont bel et bien présentes dans le golfe et l'estuaire du Saint-Laurent. Cette découverte a donc fait s'écrouler ce qui représentait quand même un fort beau mythe, beaucoup plus accrocheur que la banale réalité.

présent dans le fjord du Saguenay jusqu'à la hauteur de la baie des Ha ! Ha ! Le béluga, seul cétacé qui fréquente le fjord, y fait des incursions régulières, jusqu'à Saint-Fulgence en été et surtout dans le secteur de la baie Sainte-Marguerite en automne, mais il ne vit pas en permanence dans le fjord et se retire dans l'estuaire et le golfe du Saint-Laurent durant l'hiver. Les recherches du biologiste Robert Michaud nous apprennent toutefois qu'il n'y a qu'un troupeau d'environ quarante-cinq bélugas, toujours les mêmes, qui pénètre dans le Saguenay. Quant au petit rorqual, il est fréquemment observé entre l'embouchure du Saguenay et le cap de la Boule et parfois plus en amont.

TRINITÉ ET ÉTERNITÉ

Soeurs de granit

Ils sont légion les poètes, les auteurs, les journalistes, les peintres, les photographes et toutes les grandes âmes au tempérament artistique qui ont vu leur inspiration s'élever à des sommets olympiens lorsqu'ils sont tombés sous le charme des deux géants de granit qui gardent l'entrée de la baie Éternité.

Sur le versant ouest, le cap Trinité est orné, depuis 1881, de la statue gigantesque de la Vierge, Notre-Dame-du-Saguenay, qui veille sur la navigation en écoutant les hommages que lui rendent quotidiennement les bateaux de croisière qui s'arrêtent à ses pieds pour lui faire entendre l'*Ave Maria*.

Sur la rive nord, faisant face au cap Éternité, le plus grand des deux colosses, les caps Liberté, Égalité et Fraternité ont été ainsi désignés en 1989 pour souligner le bicentenaire de la Révolution française, le Parc du Saguenay étant jumelé, depuis 1984, au Parc national des Cévennes, en France.

Normand Fréchette

PETIT BATEAU...

Petit voilier ne grandira pas puisque c'est ainsi que son capitaine conçoit le plaisir de naviguer sur le fjord du Saguenay.

Normand Fréchette, sur L'Eautesse, souhaite sentir la mer qui bouge, l'entendre qui respire, la toucher en tendant la main au-dessus du bastingage et y garder toujours à l'esprit la relation de grandeur entre l'homme et le fjord. On goûte plus l'immensité lorsque l'on sait apprécier sa place dans l'univers.

Normand Fréchette navigue dans le silence, en faisant corps avec son embarcation comme avec l'environnement. Il longe les falaises gigantesques et s'insinue aisément dans les moindres baies pour y pêcher la truite de mer ou pour parachever sa lecture minutieuse du Saguenay. En navigateur aguerri, il lit aussi les vents, les frissons sur l'eau, les vagues qui s'élèvent et les nuages qui s'avancent. Dans le silence, il surprend le sommeil des phoques et goûte chaque instant qui s'écoule sur l'onde noire.

Petit bateau suffit amplement au navigateur qui s'accorde toute une vie pour apprendre le fjord et son bonheur.

NAVIGATION, TRANSPORT

La première voie de communication

La vapeur succède à la
voile vers 1850.

Au XIXe siècle, de même que durant une bonne partie du XXe, la navigation constitue le seul mode de transport des biens et des personnes, le seul moyen de communication avec le reste du Québec et le monde. Le trafic maritime s'intensifie à compter de 1838, à la suite de la goélette conduisant les quarante-huit premiers colons, membres de la Société des Vingt-et-Un, qui s'élancent à la conquête du Saguenay derrière Alexis Tremblay, dit Picoté. La technologie évoluant rapidement, la vapeur succède à la voile et bientôt, en 1850, un navire commercial de la compagnie Price, le *Rowland*, assure la première liaison régulière entre le Saguenay et Québec. Puis, le Saguenay prend le relais en 1854. Vers 1870, deux entreprises sont actives sur le Saguenay : la compagnie des Remorqueurs du Saint-Laurent et la Canadian Steam Navigation Company, qui sera remplacée par la puissante Compagnie du Richelieu. Elle transporte la marchandise et, les bonnes années,

Interprétation du
fjord.

15 000 passagers voyagent à son bord. Le transport maritime du bois est tout aussi florissant

Dès le milieu du XIXe siècle, les croisières touristiques sur le fjord connaissent une croissance phénoménale. La mode est relancée en 1930 par les « Bateaux blancs » de la Canada Steamship Line. Cette grande tradition s'est éteinte à la fin des années 60 mais, en réalité, elle subsiste toujours puisque les plus grands

paquebots du monde fréquentent encore à l'occasion le fjord, aux côtés de plus petits navires qui y pénètrent chaque jour pour des excursions de quelques heures.

De façon générale, le trafic maritime sur le Saguenay reste appréciable. Environ 250 navires pratiquent le fjord douze mois par année et, de ce nombre, 75 % se dirigent vers les installations d'Alcan à La Baie.

Le fjord reste accessible à la navigation grâce au brise-glace de la Garde côtière.

DES ENCLAVES SAUVEGARDÉES

Dans cette grande région

que les outils de l'homme ont façonnée et modifiée,

de vastes espaces ont été érigés en chapelles de conservation

vouées à la préservation d'un héritage précieux,

d'un patrimoine unique.

LE PARC DU SAGUENAY

Le jardin des spendeurs

La majeure partie de l'espace terrestre encadrant le fjord du Saguenay se trouve sur le territoire du Parc de conservation du Saguenay qui couvre une superficie de 284 km². En amont, il atteint presque Cap-à-l'Est, aux limites de la municipalité de Sainte-Rose-du-Nord et, sur la rive sud, il commence dans les limites de Saint-Félix-d'Otis, près de l'Anse-à-la-Croix. En aval, il approche Baie-Sainte-Catherine d'un côté de l'embouchure et se rend aux abords de la baie de Tadoussac de l'autre, pénétrant même quelque peu le long du Saint-Laurent, vers le secteur des dunes.

Cela totalise une longueur de 75 kilomètres avec des enclaves habitées qui en sont exclues. La magnificence et le caractère exceptionnel de l'environnement ont inspiré le gouvernement du Québec qui a créé ce lieu de conservation en 1983 afin d'assurer la pérennité du patrimoine naturel.

Le Parc du Saguenay s'est surtout imposé comme l'un des plus beaux sites de randonnée pédestre à l'est du continent nord-américain. Les adeptes de courte, moyenne et longue randonnée y ont accès à des

Le centre d'interprétation des Dunes à Tadoussac.

Randonnée pédestre sur le sentier de la Statue dans la baie Éternité.

sentiers allant de Tadoussac à la baie Sainte-Marguerite et de Rivière-Éternité à l'anse aux Petites-Îles (Petit-Saguenay), sur des tracés offrant une grande proximité avec les panoramas sublimes du fjord et la nature farouche de cette terre montagneuse. On peut certes s'engager au-delà d'une semaine sur ce réseau de plus en plus complet qui est doté d'infrastructures de camping ou d'hébergement en refuge, et qui traverse des villages où sont disponibles d'autres formes d'hébergement en plus de nombreux services.

On compte trois points d'entrée ou pôles d'activités sur le territoire du parc. Le principal est situé à Rivière-Éternité, avec le Centre d'interprétation, le Centre touristique, les campings et le départ des sentiers les plus fréquentés : celui de la statue de Notre-Dame-du-Saguenay, sur le cap Trinité (7 km, dénivellation 290 m) et le Sentier Les Caps (100 km) pour les amateurs de longues excursions qui peuvent avoir recours à des services de navette maritime ou terrestre pour prolonger leur excursion.

Le poste d'accueil du secteur Tadoussac, situé sur les dunes, dispense de l'information sur les activités du parc et propose une exposition d'interprétation sur le Saguenay et les particularités du secteur de Tadoussac.

Le dernier pôle d'accueil développé est celui de Baie-Sainte-Marguerite avec un centre d'interprétation, un camping et un superbe sentier qui longe la baie profonde jusqu'à un belvédère d'où l'on admire les bélugas qui viennent fréquemment s'ébattre à l'embouchure de la rivière. Dans la poursuite de ce chemin, on croise le départ, ou l'arrivée, du sentier qui suit la rive nord du fjord jusqu'à Tadoussac.

Le Parc du Saguenay est jumelé au Parc des Cévennes, en France, depuis 1984.

Camping du Delta dans la baie Éternité.

Ses îles

CES ROCHERS D'ON NE SAIT OÙ ?

Le Saguenay, sur toute sa longueur, est parsemé d'un nombre élevé d'îles dont il est intéressant de remarquer qu'elles sont localisées près des rives. Correspondent-elles à d'anciennes collines côtières situées dans des zones de fractures et des lignes de cassures qui, en s'érodant, les ont détachées du continent et ont entraîné la formation d'îles ? C'est une des façons de voir.

Une autre théorie explique la présence des îles par l'effondrement du lit du Saguenay il y a plus de 175 millions d'années. Certaines sections se seraient enfoncées de manière inégale et à des profondeurs différentes, laissant ressortir quelques îles.

Une troisième hypothèse veut que des parties du lit composées de pierre plus résistante et située moins en profondeur aient mieux résisté à l'action des glaciers, laissant certaines îles dans le fossé du fjord.

LE PARC MARIN DU SAGUENAY–SAINT-LAURENT

« Carrefour de vie, source d'échanges et de richesses »

Observation des baleines, Cap-de-Bon-Désir.

Première aire marine de conservation au Québec, le Parc marin du Saguenay–Saint-Laurent a pour mandat de protéger et de mettre en valeur une partie du fjord du Saguenay et de l'estuaire du Saint-Laurent, une superficie de 1 138 km². Le territoire du parc inclut une partie représentative de l'estuaire du Saint-Laurent dont on observe les principaux phénomènes océanographiques à l'embouchure de la rivière Saguenay. Il comprend également la partie la plus spectaculaire du fjord du Saguenay, jusqu'au cap à l'Est.

Le Parc marin Saguenay–Saint-Laurent se singularise par maints aspects, dont la nature même de son territoire, un système ouvert constitué essentiellement d'eau avec ses limites qui rejoignent la ligne des hautes eaux. Il se démarque aussi par son mode de gestion participative qui fait appel aux populations locales en vue d'atteindre ses objectifs de conservation et de valorisation d'une région marine unique au monde. Le Parc marin affiche donc un intérêt

envers la préservation des écosystèmes marins et le bien-être de ses habitants, mais aussi celui des riverains qui, de tout temps, ont vécu en étroite symbiose avec la mer. Ce souci se traduit, entre autres, par des recherches et des interventions concrètes destinées à mieux connaître les mammifères marins présents dans l'estuaire du Saint-Laurent et à mieux comprendre l'influence des activités d'observation en mer sur leur comportement.

Plongée hivernale dans le secteur des Bergeronnes.

Le projet de création d'un premier parc marin au pays est déposé sur les tables de travail des gouvernements fédéral et provincial en 1990. C'est la toute première fois que les deux ordres de gouvernement s'unissent de la sorte pour créer un parc.

Une vaste consultation publique est entreprise en 1993 et, deux ans plus tard, en 1995,

le plan directeur énonçant les grands objectifs du parc est approuvé par les deux paliers de gouvernement. Les lois fédérale et provinciale miroirs créant légalement le Parc marin ont été adoptées en 1997 et promulguées en 1998.

Les baleines

CES GÉANTES DE LA MER

Plusieurs espèces de mammifères marins se donnent rendez-vous dans les eaux des estuaires du Saint-Laurent et du Saguenay. Attirées par l'abondance de nourriture, un nombre croissant de baleines fréquentent ce milieu marin au grand plaisir des milliers d'amateurs d'écotourisme qui viennent dans ce secteur pour les admirer et mieux les connaître. En aval de Tadoussac, un relèvement spectaculaire des fonds marins force la remontée en surface du plancton végétal et animal qui prolifère au contact de l'oxygène et de la lumière. C'est ce phénomène qui explique la présence de tant de cétacés dans l'estuaire du Saint-Laurent.

On y rencontre entre autres le plus grand être vivant de tous les temps, le rorqual bleu, tout comme le spectaculaire rorqual à bosse. Le rorqual commun y est très fréquent ainsi que le petit rorqual. Il arrive fréquemment que l'on aperçoive des groupes de bélugas et, plus rarement, quelques cachalots ou des dauphins.

Les autorités du Parc marin Saguenay–Saint-Laurent veillent à l'application de

règles coercitives d'observation en plus d'étudier l'impact de l'écotourisme sur la vie et le comportement des baleines.

LE PARC DES MONTS-VALIN

Les yeux d'un royaume

Du sommet des monts Valin, la vue porte sur l'ensemble de la région.

De presque partout au Saguenay, on aperçoit au loin un imposant massif qui culmine à près de 1 000 mètres d'altitude et qui, pour la population régionale, est devenu un havre de nature, de paix et de liberté. L'environnement du massif des monts Valin est aussi excessif que les Saguenéens et les Jeannois eux-mêmes. Avec ses accumulations de neige qui atteignent 5 mètres, ses arbres momifiés dans la neige et le givre, ses bourrasques de vent de plus de 100 km/h, sa température annuelle moyenne de 0 °C, sa multitude de lacs, ses rivières turbulentes ou somnolentes, l'orignal, l'ours et le loup qui y trouvent refuge... quel terrain de jeu sur mesure pour les Bleuets ainsi que pour tous ceux qui veulent se mesurer à ce monument de roc !

On présente le Parc québécois des Monts-Valin comme étant « les yeux d'un royaume ». D'un côté, il est certain que le regard des gens du Haut-Saguenay est souvent tourné vers les monts Valin tellement ils occupent de place à l'horizon. En automne, les sommets, qui s'enneigent généralement dès octobre, sont toujours annonciateurs de l'hiver, un mois plus tard. Comme l'air ambiant se refroidit de 1,8 °C par 300 mètres (1 000 pieds) d'altitude, on enregistre sur la toiture des monts une température de près de 6 °C moindre qu'au niveau du Saguenay et, donc, de la mer. La saison hivernale débute conséquemment, sur les monts Valin, un mois plus tôt qu'en bas et s'y termine un mois plus tard, ce qui procure aux mordus de sports d'hiver (ski de fond, ski hors piste, ski alpin, camping d'hiver, escalade de glace, raquette, motoneige) la plus longue saison de pratique au sud du Québec.

Le tour du mont Valin en ski de fond.

« Les yeux d'un royaume », aussi parce que, de certains de ses 15 sommets de plus de 900 mètres, on a une vue extraordinaire sur la quasi-totalité de la région. Sur le pic de la Hutte (900 m), en particulier, au bout d'un court sentier, on accède au plus éblouissant des panoramas régionaux, et certainement à un des plus spectaculaires au Québec. Il est là d'un bout à l'autre, ce royaume, et on en distingue magnifiquement toutes les particularités géomorphologiques. Tout cela, à un peu plus d'une demi-heure de route de Chicoutimi.

Le Parc des Monts-Valin est également très prisé, durant la saison estivale, par les adeptes de vélo de montagne qu'y s'en donnent à cœur joie sur un parcours de 130 kilomètres et 700 mètres de dénivelé. La rivière Valin fait la joie des canoteurs qui glissent sur ses méandres. La randonnée pédestre est aussi une des activités privilégiées avec des sentiers de difficulté et d'intérêt divers. Quant à la pêche et à la villégiature en forêt, il s'agit, de longue date, des points forts du secteur des monts Valin.

Le Parc de la Pointe-Taillon

Le soleil et la plage

Par une chaude journée de juillet, la longue, très longue, plage de sable rougeâtre du Parc de la Pointe-Taillon est couverte de baigneurs, grands et petits, qui s'abandonnent corps et âme au soleil brûlant et à la vague caressante. La plage constitue l'attrait principal du parc mais, sur cette grande pointe sablonneuse longue d'une quinzaine de kilomètres et large de 3 à 6 km, il y a encore beaucoup plus.

La pointe Taillon est faite des dépôts de sédiments de la rivière Péribonca qui ont formé ce delta de 92 km² au relief plat. Au nord, du côté de la rivière, on observe une bande de sable surélevée alors que, au sud, sur le lac Saint-Jean, la plage s'étire à perte de vue jusqu'à l'île Bouliane et à la pointe Péribonca.

Au centre, les tourbières et les dunes alternent avec de grands marais et une forêt clairsemée de bouleaux, de peupliers, d'épinettes noires, de sapins baumiers et de mélèzes. Le castor a pris possession des lieux et ses ouvrages envahissants sont facilement repérables. L'orignal y est parfaitement à son aise, loin des chasseurs.

La Véloroute des Bleuets emprunte les sentiers du Parc de la Pointe-Taillon.

Les amants de la nature et du plein air peuvent profiter des emplacements de camping rustique auxquels on accède uniquement par la piste cyclable ou par le lac. Il s'agit, effectivement, d'un site extrêmement populaire auprès des cyclistes, et des marcheurs dans une moindre mesure, puisqu'on y trouve 25 kilomètres de sentiers faciles et plaisants, intégrés à la Véloroute des Bleuets. Les adeptes de canot-camping et de kayak de mer ont ici un lieu paradisiaque et peu exploité.

Dès 1885, le secteur de Pointe-Taillon est occupé par la colonie de Pointe-à-la-Savane, qui devient la municipalité de Jeanne-d'Arc en 1918. Les cinquante-deux familles résidantes ont progressivement été chassées des lieux à la suite du rehaussement du lac Saint-Jean, en 1926, alors que leurs terres ont été submergées.

La Véloroute des Bleuets

256 KILOMÈTRES DE PLAISIR

Mis en chantier en 1997, le projet de la Véloroute des Bleuets permet de rallier toute la région du Lac-Saint-Jean autour d'une grande réalisation commune. Politiciens des villes et des villages, industriels, développeurs ont unanimement adopté une idée qui, quelques années auparavant, aurait été perçue comme farfelue : construire un circuit cyclable de 256 kilomètres tout autour du lac afin de se doter d'un attrait touristique de grand calibre. C'est-à-dire bâtir une partie de l'économie régionale sur la base du loisir populaire par excellence : le vélo.

Depuis déjà quelques décennies, le « tour du lac » était devenu un classique parmi les destinations québécoises de cyclotourisme. Toutefois, il faut reconnaître que, à cause de l'étroitesse de la route et de la circulation des poids lourds, le périple de trois à cinq jours comportait de réels dangers.

Aujourd'hui, la situation est radicalement différente. Les vélos ont leur place à eux sur des tronçons en continu de piste cyclable, de chaussée désignée ou d'accotement pavé. Certaines de ces sections offrent une intimité extraordinaire avec le lac puisqu'elles le frôlent, l'approchent ou le surplombent sur de bonnes distances. Le circuit traverse de splendides paysages agricoles, des milieux humides grouillants de vie, des plages invitantes ou de grandes tourbières où abondent les castors alors que la piste sillonne les sentiers du Parc de la Pointe-Taillon. Le parcours est littéralement envahi par les cyclistes de la région avant même qu'il ne soit officiellement ouvert. Tous les autres mordus de vélo découvrent avec ravissement ces aménagements exceptionnels, dans un milieu unique. D'année en année, services et attraits s'ajouteront au fil du trajet pour rendre la Véloroute des Bleuets encore plus attrayante.

L'ÈRE DES VOYAGEURS

Dès l'apparition de la notion même de vacances et la naissance du tourisme organisé,

le Saguenay est devenu l'une des destinations les plus populaires

au cours des croisières sur les « bateaux blancs ».

Quelques années plus tard, le train amenait au Lac-Saint-Jean

l'élite mondiale des voyageurs.

L'APPARITION DU TOURISME

Le fjord en vedette

La Marjolaine sillonne le Saguenay de Chicoutimi à la baie Éternité.

P. 126 : Un café de Sainte-Rose-du-Nord.

Au milieu du XIXe siècle, l'ère industrielle engendre une autre activité économique qui voit le jour en Amérique du Nord, et le Saguenay est associé à l'apparition de ce phénomène : le tourisme. Sur les eaux du Saguenay, les « bateaux blancs » conduisent leur lot de voyageurs comblés jusqu'au pied du cap Trinité et de la Vierge, que l'on salue en entamant l'*Ave Maria*. L'eau et la pêche deviennent ensuite les fondements premiers de l'implantation véritable de l'industrie touristique dans la région avec Horace Beemer, John Buchanan Duke et l'hôtel Roberval. La réputation du lac Saint-Jean, en tant que l'un des meilleurs sites de pêche au monde, franchit rapidement les frontières avec l'arrivée du train.

Aujourd'hui encore, les dizaines de milliers de lacs et de rivières du bassin hydrographique attirent des touristes du Québec et de partout, adeptes de pêche mais, aussi, de plein air, de nature et d'aventure.

Gérald Bélanger

L'HOMME DU DÉFI

Quand il avance sur les sentiers des Grands Jardins, au pas lent d'un pontife, à l'ombre de son chapeau de paille, avec les mouvements amples des anciens, il s'arrête à chaque jardinier pour marquer son appréciation. Il fait de même à chaque visiteur pour raconter une bribe d'histoire, pour parler de son attachement à cette terre féconde, des rosiers de sa mère ou du personnage historique transcendant, Joseph-Laurent Normandin, l'arpenteur venu ici définir la géographie d'une région qui n'existait que vaguement sur les cartes en 1732...

Au cœur d'une vallée agricole fertile, l'un des projets touristiques les plus audacieux de la région a pris racine en 1996. Les Grands Jardins de Normandin présentent un vaste ensemble de jardins d'agrément tout en illustrant l'évolution de l'art horticole avec, entre autres, une variété de parterres à l'européenne. Dans un environnement septentrional que l'on croirait, de prime abord, peu propice à ce genre d'expérience, on trouve le Jardin des herbes, avec, chose étonnante, les couleurs harmonieuses de la lavande, qui cohabite avec le Potager décoratif, aux côtés d'un aménagement inspiré des Jardins de

Villandry ou d'un autre remontant aux origines perses et arabes de la notion même d'horticulture.

Gérald Bélanger, le concepteur et l'âme des Grands Jardins, incarne la détermination obstinée, la foi inébranlable et l'esprit d'entreprise des Jeannois.

LE MUSÉE LOUIS-HÉMON

Péribonka

Aux abords du charmant village de Péribonka, où la culture de la pomme de terre se pratique à grande échelle, on a la révélation étonnante d'un musée ultramoderne à l'architecture audacieuse. Dédié à Louis Hémon, l'auteur du célèbre roman *Maria Chapdelaine* qui a été traduit en 20 langues, le musée se consacre aussi à la mise en valeur de la littérature, des arts et du patrimoine de la région, tout en accordant une place privilégiée à la Bretagne, pays d'origine de Louis Hémon, qui entretient des liens étroits avec l'institution.

Sur les terrains du musée, on conserve la maison de Samuel Bédard où séjourna l'auteur en 1912 et où il écrivit son œuvre maîtresse.

LE ZOO SAUVAGE

Saint-Félicien

Un contact privilégié avec
la faune nordique.

À la fine pointe de l'évolution des jardins zoologiques dans le monde, le plus important site touristique au Saguenay–Lac-Saint-Jean a pris un nouveau départ en 1995 en changeant radicalement d'orientation pour se consacrer à la faune et à la flore nordique, dans un esprit résolument environnementaliste.

En plus de mettre en valeur un millier d'animaux de plus de quatre-vingts espèces vivant dans les grands espaces du Québec et du reste du continent, le zoo sauvage a réalisé des aménagements naturels d'une qualité remarquable, qui permettent d'admirer les bêtes dans leur propre milieu de vie et même de pénétrer leur intimité sans les importuner. D'un concept dynamique, il présente un circuit biogéographique qui couvre le Canada d'est en ouest.

Nez à nez avec l'ours
polaire dans son habitat.

Deux loutres au
naturel.

Le jardin zoologique a conservé son attrait majeur : les Sentiers de la nature, un vaste parc où de nombreuses espèces évoluent côte à côte, en totale liberté, alors que les visiteurs s'y déplacent « en cage », dans une sorte de train aux compartiments grillagés.

Dans ce grand laboratoire vivant, un amphithéâtre aquatique livre le spectacle formidable des ours polaires qui s'ébattent dans un immense bassin vitré, nez à nez avec un public subjugué.

Gyslain Gagnon

L'HISTOIRE, FONDEMENT DE L'AVENIR

En Gyslain Gagnon vivent tous les aventuriers qui ont parcouru les bois et les rivières du Domaine du Roi. Comme eux, il explore le territoire en harmonie avec la faune, la flore et les autochtones, pratiquant avant l'heure les grands principes de l'écologie avec, comme grand postulat : « Apprendre pour connaître ; connaître pour aimer ; aimer pour protéger. »

Après avoir mis sur pied un petit jardin zoologique « pour les enfants » dans les années 60, Gyslain Gagnon ressent comme un défi les propos de l'auteur Desmond Morris qui prétend, en 1968, que les zoos traditionnels n'ont plus d'avenir et que personne ne saurait recréer l'habitat naturel des animaux. Les Sentiers de la nature sont sa réponse au constat brutal qui a provoqué la redéfinition des jardins zoologiques.

Gyslain Gagnon se passionne maintenant pour la culture montagnaise, la langue, les toponymes

amérindiens et leurs infinies subtilités. Il s'est associé à la communauté montagnaise de Mashteuiatsh dans l'élaboration du magnifique projet : Le pays de l'Ashuapmushuan.

Saint-Prime, bordé par les rives du lac Saint-Jean.

LA VIEILLE FROMAGERIE PERRON

Saint-Prime

Entre 1890 et 1945, presque chaque chemin rural autour du lac Saint-Jean possède sa petite fromagerie qui permet de disposer de la production laitière des fermes voisines. À cette époque, la région passe de l'agriculture de subsistance à l'industrie laitière en s'intégrant à l'économie de marché. Déjà, au XIXe siècle, environ 30 % du cheddar du Lac-Saint-Jean, qui s'impose comme une spécialité régionale, est exporté au Royaume-Uni. Celui de la Fromagerie Perron de Saint-Prime, en particulier le cheddar vieilli, est considéré comme l'un des meilleurs du monde. Même la famille royale britannique s'en délecte.

Depuis 1992, la Fromagerie Perron, construite en 1895, s'avère être la plus ancienne entreprise fromagère au Québec. La vieille fromagerie, classée monument historique en 1989, est devenue le Musée du Cheddar. C'est un centre d'interprétation fort touchant, qui relate de façon décontractée une longue filiation s'étendant sur quatre générations de Perron : d'Adélard, l'aïeul, jusqu'à Jean-Marc qui continue de perpétuer le savoir-faire des fromagers du Lac-Saint-Jean.

Une visite au Musée du Cheddar.

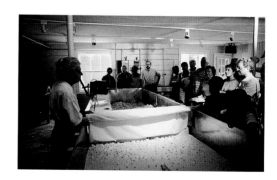

Albert Perron

LA FIERTÉ DU MAÎTRE

Certains hommes deviennent des monuments, même de leur vivant. Albert Perron, maître fromager, est de cette race.

Il a hérité de ses parents la science du fromage et l'a transmise à son fils afin que ce dernier perpétue la grande tradition jeannoise du cheddar.

Lorsqu'il s'arrête devant le quai de réception du lait de la fromagerie, Albert Perron entend nettement revivre le passé. Le pas des chevaux annonce l'arrivée des fermiers avec le produit de la traite du jour. Les « canistres » de métal s'entrechoquent à la pesée pendant que la cloche appelle les retardataires. Vêtu de son grand tablier blanc, Albert taquine ses sœurs qui l'observent du balcon, au second étage, là où la famille habite.

La résidence familiale n'a pas changé depuis le temps, bien qu'elle soit devenue musée. Il y revoit sa mère à la tâche. Il s'y berce en surveillant ce qui se passe à l'extérieur, comme son père et son grand-père avant lui, dans leurs rares moments de répit. Le travail acharné, de l'aube à la nuit, était la règle. La qualité sans concession était la norme. Sévérité, autorité, ténacité composaient le credo quotidien.

L'Angleterre n'acceptait rien de moins que le meilleur, et le fromage des Perron n'y a jamais été refusé. Là réside l'orgueil du maître qui a vécu ses plus beaux moments lorsqu'il a vu, de ses yeux, son fromage dans les entrepôts des grands exportateurs internationaux, à Londres. De Saint-Prime, les Perron rayonnent sur le monde.

La Traversée internationale du lac Saint-Jean.

LE BERCEAU DU TOURISME

Roberval

« La Mecque du tourisme en Amérique du Nord », rien de moins !

Voilà le titre auquel aspire Roberval à la fin du XIXᵉ siècle. Et elle a en main toutes les cartes pour que cette ambition se concrétise. D'abord, le chemin de fer. En 1888, le train arrive à Roberval avant d'atteindre Chicoutimi ou La Baie. Derrière ce projet d'envergure se profile le dessein d'un homme, un Américain, Horace Jansen Beemer. Il a la tête pleine de projets et les moyens de les réaliser. Le « cheval de fer » est son œuvre. Le train va amener de partout dans le monde la plus sélecte et la plus riche des clientèles ; des têtes couronnées, des présidents, des nobles, des parvenus, qui s'installeront dans les suites du nouvel hôtel Roberval, somptueux avec ses beffrois, imposant. On leur promet l'exotisme suprême dans un pays sauvage, de l'autre côté d'une forêt qui semble pourtant infinie. Sur le bord d'une mer d'eau douce qui recèle un trésor. Le vrai trésor. Celui qui obsède tous ceux qui se livrent au rêve fou d'aller jusqu'au lac Saint-Jean. La ouananiche !

Sur le lac, la pêche est miraculeuse. Les prises sont énormes. Dans son bateau de croisière, Beemer fait aussi voguer sa distinguée clientèle jusqu'à la Island House, la « dépendance sportive » de l'hôtel Roberval située sur une île de la Grande Décharge, là où la pêche est encore meilleure. Un petit château de bois où, de retour d'une partie de pêche plus que fructueuse, on sable le champagne en scrutant le menu raffiné que le chef a élaboré. « It would be the mistake of your life not to take it. There is no trip in the world that can favorably compare with it for grandeur of scenery », a écrit J.H. Durham.

Mais tout s'envole en fumée le 31 juillet 1908. Le feu rase l'hôtel et Beemer disparaît avec son rêve.

La Traversée internationale du lac Saint-Jean.

Roberval et le lac Saint-Jean, un tout indissociable.

L'Ermitage Saint-Antoine

Lac-Bouchette

Il ne peut y avoir d'endroit plus propice à l'établissement d'un lieu de culte et de pèlerinage que les rives paisibles du lac Bouchette, un élargissement de la rivière Ouiatchouan qui reçoit les eaux du lac des Commissaires.

L'abbé Elzéar DeLamarre construit, en 1907, une chapelle dédiée à saint Antoine de Padoue qui accueille ses premiers pèlerins dès 1912. En 1915, on ajoute une autre chapelle plus spacieuse consacrée à Notre-Dame-de-Lourdes. Dix ans plus tard, répondant à la requête du fondateur, les Capucins prennent en charge le Sanctuaire où ils érigent un monastère en 1948. L'Ermitage devient l'un des sites religieux les plus fréquentés au Québec, doté d'une multitude de points d'intérêt. On y admire certaines œuvres d'art d'une grande valeur patrimoniale, dont le calvaire de bois sculpté par Louis Jobin en 1918, les peintures de Charles Huot dans la petite chapelle, de magnifiques vitraux et un chemin de croix poignant, sculpté dans le granit de la région.

La chapelle Saint-Antoine ornée des œuvres du peintre Charles Huot.

La crèche vivante sous le froid de décembre.

Animation dans le vieux moulin de la Compagnie de pulpe Ouiatchouan.

LE VILLAGE FANTÔME

Val-Jalbert

Au début du siècle, Damase Jalbert, un marchand de Lac-Bouchette, fonde la Compagnie de Pulpe Ouiatchouan et construit une usine de pâte à papier au pied d'une chute d'eau grandiose, haute de 72 mètres (21 m de plus que celles du Niagara).

La chute Ouiatchouan surpasse en hauteur de 21 mètres celle du Niagara.

En 1904, lors de son décès, l'entreprise passe aux mains de J.-É.-A. Dubuc et de la Compagnie de pulpe de Chicoutimi. Sous l'impulsion de cet homme d'affaires flamboyant, le petit village industriel de Val-Jalbert connaît une croissance rapide et un développement très avant-gardiste puisqu'il s'agit d'une des premières localités au Lac-Saint-Jean à bénéficier de l'électricité ainsi que des services d'aqueduc et d'égout.

L'appel des enfants pour la classe dans le couvent de Val-Jalbert.

Le ruisseau Ouellet dans le camping du village historique de Val-Jalbert.

Toutefois, le marché de la pâte à papier s'écroule et l'usine ferme ses portes en 1927, à la veille de la crise économique de 1929. Le village se vide alors peu à peu et est finalement abandonné. Jusque dans les années 60, Val-Jalbert demeure une curiosité pour la population locale mais, à partir de 1987, le village reprend vie jusqu'à devenir l'un des attraits touristiques majeurs de la région.

Les visiteurs s'y promènent aujourd'hui dans des rues bordées de maisons écroulées ou rénovées, dans une ambiance et devant des panoramas aussi insaisissables que poignants, à travers les souvenirs ravivés par la réincarnation des personnages de l'époque et par les fantômes qui errent sans répit...

La chute de la rivière Ouiatchouan, haute de 72 mètres, dépasse de 21 mètres celle du Niagara. La rivière s'engouffre ensuite dans un magnifique canyon en sillonnant l'un des plus agréables campings de la région, sur le site même du village historique.

Les maisons abandonnées de Val-Jalbert
évoquent l'époque où un village moderne
et animé existait ici, au début du siècle.

La pulperie

Chicoutimi

La Pulperie de Chicoutimi constitue le premier complexe industriel de pâte mécanique fondé au tournant du siècle (1896) par un homme d'affaires francophone qui allait marquer profondément le destin du Saguenay-Lac-Saint-Jean, Julien-Édouard-Alfred Dubuc.

Les cinq bâtiments de granit qui se dressent encore sur le site témoignent du grandiose de l'architecture industrielle de l'époque tout en évoquant l'importance qu'a eue la Compagnie de Pulpe dans l'histoire et l'économie du début du siècle. Dès 1898, la Pulperie emploie 75 ouvriers et produit 5 000 tonnes de pâte exportée sur le marché britannique où on l'apprécie pour sa grande qualité. C'est ici, en 1907, qu'apparaît le syndicalisme ouvrier au Québec sous l'égide de Mgr Eugène Lapointe, fondateur de la Fédération ouvrière de Chicoutimi. La Pulperie est aujourd'hui devenue un vaste complexe touristique et culturel au cœur du quartier historique du Bassin.

La Pulperie de
Chicoutimi devenue
musée de site.

LE SITE DE LA NOUVELLE-FRANCE

Saint-Félix-d'Otis

Dans le décor saisissant de l'embouchure de la baie des Ha ! Ha ! et du fjord du Saguenay, bordé par les caps à l'Est et à l'Ouest, on croise le site enchanteur de l'Anse-à-la-Croix, fréquenté par les Amérindiens depuis des millénaires. Même certains des meilleurs réalisateurs du cinéma et de la télévision sont tombés sous le charme de ce paysage inviolé, dont l'Australien Bruce Beresford (*Gandhi, Driving Miss Daisy, Tender Mercies*) qui y a tourné *Robe Noire*, de même que le Québécois Jean Beaudin avec la télésérie *Shehaweh*.

Ce site extraordinaire nous plonge avec réalisme dans la Nouvelle-France du XVIIe siècle, grâce à une animation convaincante et à la reconstitution minutieuse d'un village iroquois traditionnel, du fort de Cap-aux-Diamants, de la chapelle de la Basse-Ville de Québec, de la maison de campagne et du campement montagnais. Des fouilles archéologiques qui se poursuivent sur place ont permis de faire des découvertes étonnantes sur les nations autochtones qui ont fréquenté les lieux.

Un village et son roi

L'Anse-Saint-Jean

Depuis le 21 janvier 1997, le très beau village de L'Anse-Saint-Jean est devenu la première monarchie municipale en Amérique du Nord.

À la suite d'un référendum historique, la population anjeannoise a choisi Sa Majesté le roi Denys 1er de L'Anse comme monarque. Cette initiative plutôt originale a suscité autant d'incrédulité que d'enthousiasme et, assurément, elle a engendré un intérêt amusé et une curiosité certaine partout au Québec, de même qu'ailleurs dans le monde.

Le célèbre pont couvert sur la rivière Saint-Jean.

Dans la perspective du souverain et de sa cour, la royauté vise à créer un instrument de promotion touristique et de développement économique ainsi qu'à mener à terme un projet gigantesque de fresque naturelle, un oratoire végétal aménagé à flanc de montagne en hommage à saint Jean-Baptiste, « Saint-Jean-du-Millénaire », saint patron des Québécois et des Canadiens-français.

Sa Majesté Denys 1er, roi de L'Anse, lors de son couronnement.

LA MUSE

Sainte-Rose-du-Nord

Le fjord et le village dans leur cadre montagneux

Le village de Sainte-Rose-du-Nord, posé dans le repli de trois anses profondes, a inspiré des générations de grands peintres paysagistes du Québec et il continue d'être la muse de tous les artistes qui retrouvent ici le contraste criant entre une nature monumentale et un hameau fragile.

Personnification parfaite du pittoresque, Sainte-Rose-du-Nord constitue une étape incontournable pour des milliers de voyageurs et un pèlerinage saisonnier pour nombre de régionaux. On y pêche sur des glaces en perpétuel mouvement. On y visite de charmants attraits dont une église au mobilier singulier qui traduit le lien puissant entre la population locale et la forêt.

Surtout, on y passerait sa vie à admirer le fjord dans son cadre montagneux incroyablement changeant.

L'Anse-d'en-Bas, une des trois anses du village.

Des cabanes de pêche blanche sur
les glaces de L'Anse-d'en-Bas.

La rencontre des eaux

Tadoussac

La baie de Tadoussac, à
l'embouchure du fjord du
Saguenay.

Du haut des grandes dunes qui entourent la baie de Tadoussac comme un gigantesque amphithéâtre naturel, le voyageur ne peut que tomber sous le charme de la magnifique baie ronde qui s'offre à son regard. Elle semble minuscule entre ces titans que sont le fleuve Saint-Laurent, le fjord du Saguenay et les montagnes du Bouclier canadien. Bordée d'une fine plage de sable blond et d'un large estran qui se dégage généreusement au fil des marées, elle invite les enfants rieurs à jouer dans les mares d'eau salée. Quelques vacanciers avancent leurs chaises à mesure que le rivage recule. De jeunes baigneurs se risquent subrepticement dans l'eau glacée venue des fonds marins. Un groupe de kayakistes trouble à peine la surface de l'eau alors que, au large, quelques petits rorquals s'en donnent à cœur joie. On a vu passer tout un troupeau de bélugas qui pénétrait dans le Saguenay pour s'y nourrir. La baie grouille d'action à l'heure où les bateaux de toutes tailles reviennent des croisières d'obser-vation et repartent avec des centaines d'excursionnistes ébahis qui en auront long à raconter sur leur rencontre avec les plus grands êtres vivant sur Terre.

La baie de Tadoussac, à l'embouchure du fjord du Saguenay.

Pique-nique aux abords de la marina de Tadoussac.

REMERCIEMENTS

Fédération touristique régionale du Saguenay–Lac-Saint-Jean

Gouvernement du Canada

M. André Harvey, député de Chicoutimi à la Chambre des communes

Tourisme-Québec

Village historique de Val-Jalbert / Sépaq

Stone-Consolidated Corporation

Environnement et Faune Québec

Les auteurs tiennent à remercier les personnes et organismes suivants qui ont contribué à rendre possible un long et minutieux travail de recherche et de repérage.

ATR Saguenay–Lac-Saint-Jean : M. Serge Plourde

Tourisme-Québec : M. Patrice Poissant

Village historique de Val-Jalbert : M. Bruno Lavoie, M. André Gagné et Mme Nicole Schmitt

Ministère Environnement et Faune : Mme Hélène Tremblay et M. Guy Langevin

Justin Maltais : Michel Duchesne

Société touristique du fjord : M. Guy Girard,

Zoo sauvage de Saint-Félicien : M. Martin Laforge, Mme Lauraine Gagnon et M. Patrick Paré

Les Grands Jardins de Normandin : M. Gérald Bélanger

Site de la Nouvelle-France : Mme Hélène Gagnon

Croisières Navettes maritimes du fjord : M. Gilbert Simard

Les Visites forestières : M. Daniel Bolduc

Les Deux Pignons : Mme Régine Morin

Domaine du lac Ha! Ha! : Mme Monique Otis

Bell : M. Luc Vandal

Bell mobilité : M. Bertrand Tremblay

Société d'histoire du Lac-Saint-Jean : Mme Danielle Larouche

Parc du cap Jaseux : Mme Lise Laroche

Québec Hors-Circuit : M. François Guillot

Cascade Aventure : M. Gaétan Bergeron

Réserve faunique Ashuapmushuan : M. Albert Bogemhein

Air Bellevue : M. André Bernier et M. Yves Brassard

Ermitage de Lac-Bouchette : M. Denis Lebel

Fromagerie Perron : M. Albert Perron et Mme Orietta Gilbert

Gîte La Campagnarde : Mme Brigitte Boivin et M. Roger Taillon

O'Hameau : M. Mario Dubois

Centre touristique de Tchitogama : M. David Tardif

Centre d'hébergement touristique de Rivière-Éternité : M. Émile Bouchard

Mashteuiatsh : M. Roger Duchesne, Mme Denise Xavier, M. Roger Valin, M. Georges Bégin, M. Jason Robertson, M. Éric Germain, Mme Alice Germain, M. Patrice Dominique, Mme Louisette Paul, MM. Thomas et Gérard Siméon

Ilnu-Tepiskau : M. Pierre Gill et M. Édouard Robertson

Aventure Maria-Chapdeleine : M. Romuald Rousseau

Le Chenil du Roy : M. Maurice Roy

Aventuraid : M. Gilles Granal et Mme Marie-Chritine Debail

Boutique L'Aventurier : Gilles Lévesque

Nikon Canada

M. Antonin Collard, Mme Jeanne Blackburn, Mme Christiane Laforge, Mme Denise Pelletier, Mme Andrée Rainville, M. Bertrand Tremblay, M. Ghislain Gagnon, Mme Hélène Beck, M. Albert Larouche, M. Renald Carrier, M. Jean-Jules Soucy, M. Émile Savard, M. Normand Fréchette, M. Rodrigue Langevin, Mme Suzanne Hamel, M. Guy Pednault, Mme Édith Laforest, Mme Madeleine Bernard, Mme Lorraine Gosselin, M. Pierre Beaudoin, M. Alain Bourgeois, M. Pierre Desbiens, Mme Chantale Bergeron, M. Pierre Noël, Mme Michèle Martin, M. Marcel Mercier

Photo de la page 37 : Jeannot Lévesque

Photo de la page 69 : S. H. Lac Saint-Jean, Fond Kreiber

Photo de la page 116 : Parcs Canada/Francesco DiDomenico

BIBLIOGRAPHIE

BARRETT, Kathleen, *Scénario préliminaire d'exposition pour le centre d'interprétation du fjord du Saguenay*, Ministère de l'Environnement et de la Faune, Direction générale du Saguenay–Lac-Saint-Jean et Direction du plein air et des parcs, 1995, 132 pages.

BLACKBURN, Roger, « Le lac Saint-Jean ne cale pas... », *Le Quotidien*, Chicoutimi, 14 mai, 1998, p. 12.

BLANCHARD, Raoul, *L'est du Canada français*, « province de Québec », tome deuxième, Montréal, Beauchemin, 1935, p. 7.

BOILEAU, Gilles, *Le Saguenay–Lac-Saint-Jean*, Québec, Éditeur officiel du Québec, 1977, p. 119 à 157.

BOISCLAIR, Jean, *Parc des Monts-Valin, le plan directeur provisoire*, Québec, Ministère de l'Environnement et de la Faune, 1994, 218 pages.

BOIVIN, Normand, « Le mont Valin annonce que l'hiver approche ! », *Le Quotidien*, Chicoutimi, 23 oct. 1998, p. 3.

BOUCHARD, Denis, « La région aura perdu 3 615 personnes », *Le Quotidien*, Chicoutimi, 29 septembre 1998, p. 6.

BOUCHARD, Gérard et Marc DE BRAEKELEER, *Pourquoi des maladies héréditaires ?*, Sillery, Septentrion, 1992, p. 130.

BOUCHARD, Russel, *Histoire de Chicoutimi*, Chicoutimi-Nord, Russel Bouchard, 1992, p. 21.

BOUCHARD, Russel, *Le Saguenay des fourrures (Histoire d'un monopole)*, Chicoutimi, Russel Bouchard, 1989, 269 pages.

BOUCHARD, Russel, *Lettres du Saguenay 1989-1998*, Chicoutimi-Nord, Cap-Saint-Ignace, 1998, p. 72.

BOUCHARD, Russel, *Mémoires d'un tireur de roches, Essai généalogique et autobiographique*, Chicoutimi-Nord, Cap-Saint-Ignace, 1993, p. 315 à 318.

BOUCHARD, Russel, « Une visite éclair chez les Indiens du lac Tchitogama », *Saguenayensia*, Chicoutimi, oct.-déc. 1991, p. 4 à 6.

BOUCHARD, Russel, « Villages fantômes, localités disparues ou méconnues du Bas-Saguenay », Société historique du Saguenay dans *Cahiers de Saguenayensia, Histoire des municipalités*, Chicoutimi, 1991, 113 pages.

BRASSARD, Daniel et Suzanne GOSSELIN, *Il était autrefois*, Chicoutimi, Corporation du 150e anniversaire du Saguenay–Lac-Saint-Jean, 1988, 96 pages.

BUIES, Arthur, *Le Saguenay et la Vallée du lac Saint-Jean*, Québec, Imprimerie de A. Côté et Cie, 1880, p. 81 et 82.

CADET, Maurice, *Un lac, Un fjord IV, 350 ans d'histoire*, Chicoutimi, JCL, 1997, p. 15.

CARON, Jocelyn, *Regards sur le lac Saint-Jean (textes de l'exposition)*, Alma, Conseil du loisir scientifique du Saguenay–Lac-Saint-Jean, 1997, 15 pages.

CHAMPLAIN, Samuel de, *Œuvres complètes, vol. 1*, Montréal, Éditions du Jour, 1971, 474 pages.

CHARLEVOIX, François-Xavier, *Histoire et description générale de la Nouvelle France, tome second*, 1744, p. 52.

CHARTRAND, Luc, « La prophétie du Saguenay », *L'actualité*, Montréal, avril 1998, p. 73 à 75.

Commission de toponymie, *Noms et lieux du Québec*, dictionnaire illustré, Québec, Les Publications du Québec, 1994, 925 pages.

Corporation du circuit cyclable Tour du Lac Saint-Jean, « La Véloroute des Bleuets : un chantier à compléter », Bulletin, Alma, été 1998, p. 1.

CÔTÉ, Dany, « Mutations foncières et émergence de la grande industrie : histoire du développement du potentiel hydroélectrique de la Grande Décharge, au Lac-Saint-Jean (1900 et 1928) », *Saguenayensia*, Chicoutimi, oct.-déc. 1991, p. 15 à 24.

CÔTÉ, Dany, CARON, Jocelyn et Danielle LAROUCHE, *Au gré du courant, L'épopée du flottage du bois au Lac-Saint-Jean (textes de l'exposition)*, Alma, Conseil du loisir scientifique du Saguenay–Lac-Saint-Jean et Société d'histoire du Lac-Saint-Jean, 1997, 20 pages.

COUTU, Guy, *Chicoutimi, 150 ans d'images*, Chicoutimi, Le Musée du Saguenay–Lac-Saint-Jean, 1992, p. 65, 97, 116.

COUTU, Guy, *L'industrialisation du Saguenay–Lac-Saint-Jean, La Pulperie de Chicoutimi, Un siècle d'histoire*, Chicoutimi, La Pulperie de Chicoutimi, 1998, p. 5.

DOUIS, Gilles, MÉNARD, Nadia, PAGÉ, Marc et Kathleen BARRETT, *Le parc en bref, Bulletin du parc marin, Parc marin du Saguenay–Saint-Laurent*, Tadoussac, 1998, p. 1 à 5.

DRAINVILLE, Gérard, « Le fjord du Saguenay : 1, Contribution à l'océanographie », *Le Naturaliste Canadien*, vol. 95, no 4, 1968, p. 809 à 855.

DRUILLET, Gabriel et Claude DABLON, *Relations des Jésuites, Relation de 1661*, Montréal, Éditions du Jour, p. 14.

DUMAS, Lucie, *Les Amérindiens et les Inuit du Québec d'aujourd'hui*, Québec, Secrétariat aux affaires autochtones, 1995, p. 17 - 18.

FILTEAU, Huguette, *Dictionnaire biographique du Canada*, Québec, Les presses de l'Université Laval, 1991, p. 323.

FOURNIER, Lise, *La Fromagerie Perron de Saint-Prime*, Sainte-Foy, Les Publications du Québec, 1995, 48 pages.

GILL, Pierre, *Premiers habitants du Saguenay–Lac-Saint-Jean*, Mashteuiatsh, Les éditions Mishinikan, 1987, p. 29 à 35 et 112 à 116.

GIRARD, Camil, *Culture et dynamique interculturelle, Trois femmes et trois hommes témoignent de leur vie*, Chicoutimi, JCL, 1997, p. 13 à 32.

GIRARD, Camil et Normand PERRON, *Histoire du Saguenay–Lac-Saint-Jean*, Québec, Institut québécois de recherche sur la culture, 1989, 665 pages.

GIRARD, Camil et Jean-Michel TREMBLAY, *Le Saguenay–Lac-Saint-Jean en 1850*, Rapport spécial de Jacques Crémazie, Sagamie/Québec, Jonquière, 1988, p. 14 à 16.

Gouvernement (Bas-Canada), *Journaux de la Chambre d'Assemblée du Bas-Canada, 1820–1821*, vol. 30, appendice U ; voir Jean-Paul Simard, Incursions documentaires dans le Domaine du Roi, 1730 - 1830, Chicoutimi, Centre d'Études et de Recherches historiques du Saguenay, 1968, p. 11, 20, 71.

HÉBERT, Jean-François, « Le Château du Saguenay et les débuts du tourisme au Saguenay–Lac-Saint-Jean », *Saguenayensia*, Chicoutimi, janvier-mars 1998, p. 7 - 8.

HÉMON, Louis, *Maria Chapdelaine*, Paris, Hachette, 1924, p. 31, 57, 61, 69, 116, 126, 128.

HÉMOND, Élaine, « La route du parc des Laurentides, tout un défi technique ! », *L'actualité*, Montréal, octobre 1988, p. 40 à 45.

L'Équipe de rétablissement du béluga du Saint-Laurent, *Plan de rétablissement du béluga du Saint-Laurent*, Canada, Pêches et Océans et Fonds mondial pour la nature, 1995, 73 pages.

LACASSE, R. P. Zach, *Une mine produisant l'or et l'argent*, Québec, Ministère de l'Agriculture du Québec, 1880, 272 pages.

LAFORGE, Christiane et Michel GAUTHIER-CANO, *Notre histoire à petits pas*, Almanach historique du Saguenay–Lac-Saint-Jean, Saint-Fulgence, Les éditions Gaymont, 1983, 270 pages.

LEMOINE, J.M., *Album du Touriste*, Sillery, 1872, 382 pages.

LÉTOURNEAU, Denyse, *Vocabulaire des loisirs de plein air*, Québec, Les Publications du Québec, 1993, 245 pages.

MAILLARD, Rémi, *Lucien Bouchard mot à mot*, Montréal, Stanké, 1996, p. 328.

NATIONAL GEOGRAPHIC SOCIETY, *Guide d'identification des oiseaux de l'Amérique du Nord*, La Prairie, Broquet, 1988, 472 pages.

O'NEIL, Jean, *L'Âge du bois/Les Terres Rompues*, Montréal, Libre Expression, 1997, p. 54, 177 à 180, 186, 215, 229, 256, 257, 259.

PAUL, Alain, « La relève : importance de la transmission », *Le Progrès-Dimanche*, Chronique de Mashetuiatsh, Chicoutimi, 1er février 1998, p. A26.

SANCHEZ, Jean-Pierre, « Le Royaume du Saguenay, un eldorado septentrional ? », *Saguenayensia*, vol. 30, no 4, Chicoutimi, Société historique du Saguenay, 1988, p. 15 à 30.

SIMIER, Paul, « Aux Grands Jardins de Normandin, même la lavande a survécu », *Le Journal de Montréal*, Montréal, samedi, 16 juillet, p. 8.

TREMBLAY, Victor, *Histoire du Saguenay depuis les origines jusqu'à 1870*, Chicoutimi, La Librairie régionale inc., 1968, 465 pages.

TREMBLAY, Victor, *Le découvreur du Canada*, Chicoutimi, Publications de la Société historique du Saguenay, 1970, p. 55 à 64.

TWAITES, *Relations 1638*, tome 6, p. 190.